DES FEMMES
D'HONNEUR

Déjà paru :

DES FEMMES D'HONNEUR. UNE VIE PRIVÉE, 1931-1968, Libre Expression, 1997.

Lise Payette

Des femmes
d'honneur

Une vie publique
1968-1976

Libre Expression

Données de catalogage avant publication (Canada)

Payette, Lise, 1931-

Des femmes d'honneur

Autobiographie.
L'ouvrage complet comprendra 3 v.
Sommaire : 1. Une vie privée, 1931-1968 • 2. Une vie publique, 1968-1976.

ISBN 2-89111-745-X (v. 1)
ISBN 2-89111-795-6 (v. 2)

1. Payette, Lise, 1931-   . 2. Femmes – Québec (Province) – Conditions sociales.
3. Québec (Province) – Politique et gouvernement – 1976-1985. 4. Écrivains
canadiens-français – Québec (Province) – Biographies. 5. Femmes ministres –
Québec (Province) – Biographies. 6. Animateurs de télévision –
Québec (Province)– Biographies. I. Titre

PN1990.72.P39A3 1997   791.45'092   C97-940764-8

Conception de la couverture
FRANCE LAFOND
Infographie et mise en pages
SYLVAIN BOUCHER

Libre Expression remercie le gouvernement canadien
(Programme d'aide au développement de l'industrie de l'édition),
le Conseil des Arts du Canada et la Société de développement
des entreprises culturelles du soutien accordé à
ses activités d'édition dans le cadre de leurs programmes
de subventions globales aux éditeurs.

© Éditions Libre Expression
2016, rue Saint-Hubert
Montréal (Québec) H2L 3Z5

Dépôt légal :
3e trimestre 1998

ISBN 2-89111-795-6

Imprimé au Canada

À Flavie

À la douce mémoire
de mes amies
Nicole Duchêne et Louise Jasmin

« Toute femme qui veut tenir un discours
qui lui soit propre ne peut se dérober
à cette urgence extraordinaire : inventer une femme.
C'est de la folie, j'en conviens.
Mais c'est la seule raison qui me reste. »

Annie LECLERC

1

Le vertige de la liberté

Les mauvais matins, il m'arrivait de penser que ma vie était de la plus grande banalité : l'histoire d'une fille mariée trop jeune, ne connaissant pas grand-chose de la vie, et convaincue que les vœux d'amour éternel allaient durer. Je découvrais, au fil des ans, que ce n'était pas le cas et que tout s'effilochait, même les rêves les plus beaux. Tant de femmes avaient vécu la même chose. Éduquées pour être des épouses et des mères, nous devions être prêtes à sacrifier nos vies entières au bonheur des autres.

Cette perspective ne m'avait jamais convenu. Je voulais ma part de bonheur.

J'avais tellement désiré retrouver ma liberté pendant les années les plus difficiles de mon mariage que j'étais persuadée qu'il me serait facile de redevenir célibataire dès que les derniers liens entre lui et moi seraient rompus. Je voulais que le bonheur se jette sur moi enfin et que la vie devienne facile à vivre. Je serais libre de prendre et d'assumer toutes mes décisions et je m'y étais entraînée durant les dernières années pour ne pas être prise au dépourvu. J'allais voler de mes propres ailes et le départ

13

tant souhaité de celui qui allait devenir mon ex-mari était vécu comme une délivrance. C'était sous-estimer la force des habitudes et la solidité des liens.

À l'automne 1968, quand j'avais demandé à mon mari de quitter la maison pour ne plus y revenir, je ne savais pas que j'allais vivre le pire moment de toute mon existence. La rupture allait être plus douloureuse que prévu. J'avais du mal à mettre un pied devant l'autre. Je n'arrêtais pas de me répéter que j'avais des responsabilités immenses et que je ne pouvais pas tout laisser tomber. Je m'obligeais à me lever tôt chaque matin sans me poser trop de questions. Chaque jour, j'espérais que le pire était derrière moi et que j'avais vraiment fait les bons choix.

Tout était bouleversé à la maison. Malgré mes efforts, l'absence du père laissait un vide immense, et, sans que je comprenne vraiment pourquoi, je n'avais moi-même plus de points de repère. Ma mère me manquait terriblement. Elle venait de mourir après quelques mois d'une agonie qui nous avait liées toutes les deux jusqu'à la fin des temps. C'est vers elle que je voulais me tourner pour demander de l'aide, mais elle n'était plus là. Je venais en outre de mettre fin à un mariage qui, s'il avait eu ses années de grand bonheur, n'avait plus sa raison d'être. Je devrais être en paix, mais c'est le contraire qui se produisait.

Je réalisai que je dormais seule pour la première fois de ma vie. J'avais le vertige devant tant de liberté. Je savais que j'étais encore jeune, je n'avais que trente-sept ans, mais ce vertige me faisait peur. Je craignais de perdre pied, d'entraîner mes enfants dans la misère, de ne pas tenir le coup. Je craignais de ne pas être à la hauteur.

Quand je n'en pouvais plus, que j'avais besoin que quelqu'un me prenne dans ses bras pour me rassurer, je courais vers un homme que je connaissais depuis longtemps. Je l'avais appelé à mon secours et il avait répondu à mon appel. Il venait de vivre de son côté une rupture encore plus déchirante que la mienne et il était très seul. Je m'accrochais à lui comme il s'accrochait à moi. Nous étions incapables de nous parler, le dialogue était exclu. Il racontait sa douleur, je racontais la mienne, nous ne partagions rien, sinon un peu d'amitié et un immense gouffre. Il n'y avait pas d'amour entre nous, même quand nous en faisions les gestes. Nous étions deux immenses solitudes, et c'est la peur d'en mourir qui nous rapprochait. Incapables de donner à l'autre quoi que ce soit, nous prenions seulement, chacun pour soi et juste ce qu'il fallait pour survivre.

Mes autres amis, c'étaient les gens avec qui je faisais une émission de radio chaque jour. Ils savaient que j'avais besoin d'eux. Mon rendez-vous quotidien en studio me créait une sorte d'obligation dont j'avais absolument besoin pour ne pas sombrer. Le fait de retrouver François Cousineau, Jacques Fauteux, Guy Provost, Louise Jasmin, ma recherchiste et mes amis Jean Baulu, Jean Boisvert et les autres tous les matins, de pouvoir leur parler, leur raconter où j'en étais, sentir leur amitié et leur tendresse, me permettait de garder la tête hors de l'eau.

La bonne humeur qui avait toujours été ma marque de commerce à la radio, l'humour que j'y cultivais aussi comme un jardin, soit à *Place aux femmes* ou à *Studio 11*, jouait le rôle d'antidote à ma morosité. Je n'avais pas le droit de pleurer sur mon sort. Mais je traînais ma peau. Malgré le fait que j'avais finalement la vie que j'avais tellement souhaitée, j'avais peur de l'avenir.

J'avais le vertige, c'était vrai. Je n'avais jamais été aussi déboussolée. Tout me semblait compliqué. La solitude me pesait dès le travail terminé. Je ne savais que faire de mes heures de liberté. Après l'émission, vers midi, il m'arrivait souvent de rester au café des Artistes avec Jacques Fauteux, François Cousineau, et les musiciens Roland Desjardins et Guy Parent jusqu'à tard dans l'après-midi.

François était follement amoureux de Diane Dufresne mais leur relation n'était pas simple et il recherchait constamment des conseils qui lui permettraient de mieux comprendre cette femme fascinante et déroutante à la fois. À conseiller les autres, j'espérais trouver des solutions pour moi-même, qui ne savais plus par quel bout reprendre ma vie. J'étais trop libre. Et cette liberté nouvelle me faisait perdre pied parce que j'en avais peur.

Devant les enfants, je ne montrais rien de mes angoisses. Au contraire. Je jouais la femme calme et sûre d'elle. Je ne voulais absolument pas leur transmettre mes inquiétudes. Je rêvais pour eux d'une maison ouverte, d'un lieu plein de chaleur humaine où les copains seraient les bienvenus et où l'amour serait enveloppant. Dans mon for intérieur, je me jurais que je les ferais toujours passer en premier.

Je dormais peu la nuit. J'attendais. J'enrageais à l'idée que c'était lui que j'attendais encore, comme je l'avais fait si souvent. Mais c'était là une vérité douloureuse à admettre. J'avais l'impression de vivre une sorte de réadaptation, comme si on m'avait coupé une jambe et que je devais réapprendre à marcher.

Il faudrait des mois avant que je puisse dormir normalement. Je m'appliquai à occuper tout l'espace disponible dans le lit, puis à disperser mes affaires dans les tiroirs et dans la garde-robe. Je déplaçai les meubles de la chambre pour briser les habitudes, et, quand je n'en pouvais plus, je repartais ailleurs quêter le semblant d'amour sans lequel je savais que j'allais crever.

J'apprenais à m'extraire de mon corps pour m'observer de l'extérieur. Je me regardais agir comme si j'étais étrangère à ce corps et c'est ce qui m'aida à m'y retrouver. Je m'appliquai à ne pas perdre le nord, mais cela brûlait toutes mes énergies.

J'avais en même temps un autre gros sujet d'inquiétude : je trouvais qu'André ne voyait pas les enfants assez souvent. J'avais voulu lui laisser toute la latitude nécessaire, parce que les enfants étaient en pleine adolescence et que je croyais qu'il avait toujours un rôle à jouer auprès d'eux. J'avais entamé les procédures de divorce mais je savais qu'il faudrait du temps. Je ne voulais pas que les enfants soient pénalisés, privés de leur père. Mais leurs rencontres avec lui étaient rares et je me sentais obligée de compenser.

L'année 1969 a commencé comme 1968 s'était terminée. Mon fils allait avoir dix-sept ans et mes filles, bientôt quinze et onze ans respectivement. Nous avons fait un arbre de Noël et nous nous sommes serrés un peu plus fort les uns contre les autres. Nous ne manquions de rien. Je les aimais de toutes mes forces. Ils étaient devenus ma seule raison de vivre.

Je prenais les jours un à la fois. Je n'avais plus, me semblait-il, de perspectives d'avenir. C'était comme si l'horizon avait été bouché et que le quotidien m'avait dérobé toutes mes forces. Je m'appliquais à tenir les rênes de notre famille du mieux que je pouvais, même quand il m'arrivait de me sentir déstabilisée.

Je finis donc par me rendre à l'évidence : même si je m'étais sentie bien préparée à la rupture de mon mariage, même si j'avais le sentiment que nous allions réussir notre divorce et que le départ d'André ne laisserait pas d'amertume entre nous, même si c'était là la solution que j'avais souhaitée et que j'étais sûre de ne pas m'être trompée, j'allais vivre un immense deuil que je n'avais pas vu venir.

J'espérais seulement retomber bientôt sur mes pieds comme un chat retombe sur ses pattes. Mais je ne savais pas quoi faire pour y arriver.

Ce qui m'inquiétait, entre autres, c'était qu'en mai ou juin l'émission radiophonique allait s'arrêter jusqu'à l'automne et que j'allais perdre ceux qui étaient devenus mes bouées de sauvetage, mes copains de l'équipe. J'appréhendais ce moment avec terreur car je n'arrivais pas à imaginer ce que mes journées allaient devenir. Jusqu'au moment où, un midi, Jean Duceppe vint partager notre table au café des Artistes. Il était venu en entrevue à l'émission ce matin-là et nous l'avions invité à prendre un verre avant de repartir.

Jean dirigeait alors le Théâtre des Prairies, un théâtre d'été près de Joliette. Quand il racontait ses problèmes financiers, il nous faisait rire. Il nous fit alors tout un numéro sur la faillite retentissante qu'il allait devoir annoncer pour son théâtre et la peine que ça lui faisait pour les comédiens surtout, pour qui une source de revenus allait se tarir. Il disait avoir tellement de dettes et de créanciers sur le dos qu'il ne pouvait pratiquement plus se montrer dans la région de Joliette. Je ne sais pas ce qui me poussa à lui demander si je pouvais l'aider. Je lui expliquai que j'avais besoin d'occuper mon esprit, que je n'avais pas d'émission d'été et que, si je pouvais lui être utile, je le ferais avec plaisir. Il s'empressa de me dire qu'il ne pourrait pas me payer et il rit quand je lui dis que c'était bien ce que j'avais compris. J'allais devenir à l'instant même l'attachée de presse du Théâtre des Prairies, pour le meilleur et pour le pire, une expérience qui devait s'avérer inoubliable. Entre avril et septembre 1969, j'ajoutai trente mille kilomètres à l'odomètre de ma voiture, exclusivement entre Montréal et Joliette. Ce qui fit dire à mon fils à la fin de l'été que, si j'avais voyagé en ligne droite, j'aurais fait un vrai beau voyage.

2

L'été 1969 et la « ducepperie »

Je n'ai pas mis de temps à découvrir que Jean Duceppe n'avait pas que des dettes et des créanciers. Il avait aussi une épouse très discrète qu'il aimait depuis longtemps, sept enfants, pratiquement tous employés au théâtre durant l'été, de nombreuses admiratrices et quelques maîtresses, plus ou moins en titre, qu'il fallait savoir gérer avec doigté. Mon rôle était simple : faire que tout cela marche, que les dettes soient payées, que le propriétaire de la grange où logeait le théâtre soit heureux, que les deux pièces à l'affiche soient des succès, et que l'épouse et les maîtresses présumées ne se présentent jamais au théâtre le même soir. Sans oublier que je devais également arbitrer les querelles épiques entre les enfants et leur père chaque fois que c'était nécessaire, querelles qui survenaient à propos de tout et de rien. Jean n'avait aucune patience et l'amour qu'il ressentait pour ses enfants avait l'allure d'un secret bien gardé.

Parce que tout ce beau monde s'aimait. Mais ils étaient tous incapables de se le dire. Les enfants travaillaient fort aux décors, aux éclairages, à la sonorisation, dans l'espoir de recevoir la tape dans le dos qui leur aurait fait tant de bien, mais elle ne venait jamais. La «ducepperie» avait besoin d'être dorlotée. J'ajoutai cette responsabilité aux autres. J'invitai souvent tous les enfants au restaurant après le spectacle, à mes frais. Jean se joignait parfois à nous, mais, la plupart du temps, il rentrait chez lui tout de suite après le spectacle.

Je le faisais souvent rire parce que je refusais de le prendre au sérieux. Quand il se lançait dans une de ces tirades dont il avait le secret, je lui disais : «Si tu veux bien me dire dans quelle pièce on est, quel rôle tu joues, je pourrai te donner la réplique.» Ça l'arrêtait net. Et il rigolait.

Il mettait tout sur le compte de son diabète : sa mauvaise humeur, ses impatiences, son besoin de bouger sans arrêt. Il racontait qu'il ne dormait pas et qu'il lui arrivait de passer des nuits entières dans sa baignoire à lire des pièces de théâtre. C'était un conteur d'histoires, mais les plus savoureuses étaient souvent celles qu'il avait vécues lui-même, ces anecdotes invraisemblables qui avaient jalonné le cours de sa vie de star adulée par les femmes au-delà de l'imaginable.

Parfois, durant le jour, quand il travaillait à Montréal, il débarquait à la maison du chemin de la Côte-Sainte-Catherine, où j'habitais avec mes enfants, pour profiter de ma piscine. Il apportait ses journaux, ses magazines et parfois ses étranges cadeaux. Un jour, je le vis arriver avec une table basse pour le salon, un meuble en bois massif qui n'allait pas du tout avec le reste de mon mobilier et dont je ne savais vraiment que faire. Je l'ai pourtant gardée longtemps, cette table, uniquement parce qu'elle venait de lui, car c'était une horreur.

En quelques semaines, j'avais fait le tour des créanciers de la région de Joliette, utilisant mon plus beau sourire et mon discours le plus convaincant. Je leur demandais de patienter, m'engageant au nom du théâtre et de son propriétaire à leur verser chaque semaine une somme déterminée à l'avance. La pression était tombée. J'avais fait une bonne partie de la promotion pour la première pièce de la saison, mise en scène par Richard Martin. J'avais obtenu un permis d'alcool pour le petit bar attenant au théâtre. J'avais suggéré que les entractes soient allongés pour permettre de faire le plein de profits. Il ne restait qu'à souhaiter que la grange tienne jusqu'en septembre.

À la maison, ma fille Dominique se préparait à partir pour la Corse. Mes amies françaises Jacqueline et Mimi avaient accepté de l'accueillir pendant l'été. Ma Sylvie irait dans une colonie de vacances. Si bien que, pendant plusieurs semaines, il n'y aurait que mon fils et moi à la maison. Je rentrais tard. Souvent, je servais aussi de chauffeur à Jean, qui préférait ne pas conduire le soir. Il lui arrivait de dormir pendant tout le voyage et je devais le réveiller pour le faire descendre devant chez lui.

Le théâtre était plein tous les soirs. Après avoir vu la pièce un certain nombre de fois, je préférais passer la soirée au guichet, à parler avec Monique Duceppe ou les autres enfants Duceppe, ou à regarder la télévision. J'aurais pu servir de doublure à tous les comédiens sur scène, car je connaissais tout le texte par cœur. Et, il fallait le reconnaître, c'était un succès. Chaque semaine, nous payions nos dettes.

C'est là, derrière ce guichet, que j'ai vu le premier homme marcher sur la Lune. Nous étions une bonne dizaine autour de l'appareil de télévision. Nous savions que c'était un moment historique. Nous étions complètement médusés. Et c'est là, tout à coup, que j'ai réalisé que ma vie avait repris son cours normal et que 1968, avec ses malheurs et ses tristesses, était derrière moi. Si un homme pouvait aller sur la Lune et en revenir, j'étais certainement capable de reprendre ma vie en main et d'en assumer entièrement la direction. Si j'avais pu tirer ce théâtre d'été de la faillite, je pouvais assurément en faire autant de ma vie personnelle, et, ce soir-là, pour la première fois, avec émotion, j'ai vu la lumière au bout du tunnel.

J'avais suivi de près les événements internationaux et j'avais pleuré au moment de l'assassinat de Robert Kennedy et de Martin Luther King. Les nombreuses révoltes de mai 1968 dans plusieurs pays du monde m'avaient vraiment interpellée. Je pris conscience que ma vie privée n'était pas la seule à avoir été perturbée. Et, en regardant l'extraordinaire réussite du voyage sur la Lune, je m'étais rendu compte que le moment était venu de tourner la page sur ce passage douloureux de ma vie. Je savais que l'été que j'étais en train de vivre m'avait sauvée. J'avais eu raison de me tenir occupée comme dix. Je n'avais pas eu à m'accrocher à mes enfants en les privant de leurs vacances d'été. Je savais que nous allions tous nous retrouver en septembre, plus riches d'expériences diverses et plus heureux de cette liberté nouvelle que nous avions mise à l'essai.

J'étais reconnaissante à Jean de m'avoir tendu la main. Je ne suis pas sûre qu'il ait jamais su à quel point cet été-là avait été important pour moi. C'était un homme attachant mais qui n'avait jamais le temps d'écouter les autres. C'était un émetteur, non un récepteur.

La deuxième pièce de la saison mettait en vedette Louise Marleau dans le rôle de lady Godiva. Son nom avait été lié à celui du Premier ministre Pierre Elliott Trudeau au cours des mois précédents et je lui demandai si nous pouvions entreprendre des démarches afin que le cher homme nous fasse l'honneur d'assister à la première. Elle accepta sans se faire prier et m'assura qu'elle allait insister auprès du Premier ministre.

La réponse ne se fit pas attendre. M. Trudeau allait être présent. Ce fut le branle-bas de combat pendant des jours avant la première. La Gendarmerie royale du Canada vint visiter les lieux. Le Premier ministre se déplacerait en hélicoptère et pourrait se poser sur le terrain même du théâtre. Du gâteau, je l'avoue, pour une attachée de presse. Les photographes furent convoqués et même les télévisions nationales se déplacèrent. Je fus chargée de tenir compagnie à mon vieil ami Pierre Trudeau pour la soirée, ce que je fis avec plaisir. La salle était pleine. Jean Duceppe se frottait les mains. C'était sa meilleure saison théâtrale depuis longtemps.

C'est ce soir-là, une fois que tout ce beau monde fut reparti, que, pour la première fois, il me fit part de son grand rêve. Il voulait fonder une troupe permanente. Il rêvait d'immenses camions qui parcourraient le Québec pendant toute l'année avec des spectacles somptueux, des décors magnifiques que même les plus petits villages pourraient voir. D'abord une salle à Montréal, où le spectacle serait présenté pendant trois semaines, et ensuite cette même pièce qui partirait en tournée pendant qu'une deuxième prendrait l'affiche à Montréal. Puis une deuxième troupe qui prendrait la route pendant qu'une troisième pièce démarrerait à Montréal. Et ainsi de suite jusqu'à quatre pièces par année, peut-être cinq. Il disait que c'était fou, qu'il le savait, et il ajoutait : «Mais où est-ce qu'on sera quand on n'aura plus de rêves?»

Ce n'était peut-être pas si fou que ça. Tout ce qu'il fallait, comme pour tout le reste, c'était de l'argent. Et de l'argent, on pouvait en trouver.

Pendant tout le mois d'août, on ne parla que de cela. Il me racontait ses tournées des années précédentes, l'excitation des départs, le mode de vie sans bon sens que ça représentait, mais aussi le bonheur immense et irremplaçable de vivre ensemble entre comédiens. Il avait déjà plein de pièces en tête… Il me récitait des scènes complètes du *Commis voyageur*. Il m'expliquait ce personnage qu'il aimait tant. Et, au bout de tout, je ne vis pas venir le piège. Il me dit qu'il était convaincu que, si j'étais là pour l'aider, ce serait un succès et que ce que nous venions de faire ensemble durant l'été en était la preuve. Nous savions déjà que nous allions finir l'été avec un léger surplus qui permettrait peut-être de lancer l'idée de la troupe permanente.

C'est vrai que nous étions de bons associés. Ce qui manquait le plus à Jean, c'était d'avoir les deux pieds sur terre, mais moi, je les avais pour deux. Pour le reste, je ne connaissais rien au théâtre, mais lui savait tout ce qu'il y avait à savoir. Je me disais que jamais plus je n'aurais une occasion comme celle-là; c'était peut-être la grande chance de ma vie. Je pris tout le temps qu'il fallait pour lui expliquer que j'avais besoin de continuer à travailler régulièrement et que je ne renonçais donc pas à mes émissions de radio. Elles me permettaient d'assumer mes responsabilités familiales. Je sentis aussi le besoin de lui dire qu'il ne devait pas tout mêler; que, si nous travaillions ensemble, ça ne voulait pas dire que nous avions d'autres liens. J'en parlai parce que autour de nous les comédiens et les amis commençaient déjà à chuchoter dans notre dos. Nous étions si souvent ensemble que ça faisait jaser.

Pourtant, il y avait déjà bien assez de femmes dans sa vie sans qu'il eût besoin d'en ajouter une autre. Surtout que sa vie sentimentale ne m'intéressait en aucune façon. Je reconnaissais son charme mais je refusais d'y succomber. Parce que être amoureuse de Jean Duceppe, ça équivalait à prendre un numéro, comme chez le boucher, pour savoir à quel moment on serait servi. Quand je lui ai dit cela, ça l'a fait rire. Et puis nous n'en étions pas là. Heureusement! D'ailleurs, cet homme-là, depuis que je le connaissais, me tenait suffisamment occupée pour que je n'aie pas le temps d'une mauvaise pensée. Ce qui valait mieux pour l'instant. C'est son amitié qui m'intéressait, et elle m'était acquise.

Quand nous avons fermé le théâtre au début de septembre, les dettes étaient payées, le propriétaire de la grange était heureux, les enfants savaient qu'ils avaient bien travaillé et qu'on leur en était reconnaissant. La saison avait été bonne et le public était content. Les comédiens avaient tous été payés. Quant à moi, j'avais tenu parole : je n'avais pas touché un sou, et j'avais assumé mes dépenses et mes invitations au restaurant. Cet emploi d'été m'avait coûté toutes mes économies et j'avais hâte de retourner en studio pour recommencer à gagner de l'argent. J'aurais bientôt besoin d'une voiture neuve car la route de terre qui menait au Théâtre des Prairies avait beaucoup secoué la mienne.

J'avais dit oui à la proposition de Jean. Nous devions nous revoir pour mettre sur papier le projet de troupe permanente. J'avais promis d'aider autant que je le pourrais : chercher des commanditaires, frapper aux portes gouvernementales. Quand j'avais suggéré qu'il fallait commencer par faire un budget, il avait paru ennuyé.

Mais je ne m'inquiétais pas trop, car c'était la réaction qu'il avait chaque fois qu'on parlait d'argent devant lui.

Nous nous donnâmes jusqu'à la fin de septembre pour reprendre nos activités normales. Jean était très occupé par la télévision, et moi, de mon côté, je retrouvais mon studio avec bonheur. Mes enfants étaient de retour au bercail, beaux, bronzés et heureux. Il y avait longtemps que l'homme était revenu de son voyage dans la Lune, et moi, j'avais enfin le contrôle de ma vie. Quel sentiment délicieux! La peur avait disparu.

3

L'été indien

En ce matin du 26 septembre 1969, l'émission avait été très réussie. Nous avions eu un plaisir fou et nous avions ri du début à la fin. C'était l'été indien et il faisait un temps absolument magnifique. Les arbres étaient roux et les feuilles avaient commencé à tomber doucement. Sans même nous consulter, parce que l'équipe avait bien travaillé, nous nous sommes dirigés vers le café des Artistes, qui était situé juste à côté de l'immeuble de Radio-Canada, dans l'ouest de la ville. Mme Tellier, la propriétaire, compagne de vie de Jean-Pierre Masson, nous attendait et elle paraissait toujours heureuse de nous voir arriver. François Cousineau était là, ainsi que les autres musiciens de l'émission, Roland Desjardins et Guy Parent. Nous avions notre table attitrée le midi, «la ronde», qui faisait face à la porte d'entrée. Mais, ce jour-là, quand nous sommes entrés, elle était occupée.

François réagit le premier. Il rit et embrassa l'un des deux hommes qui occupaient notre place. Se tournant ensuite vers moi, il dit : «Tu reconnais Laurent, bien sûr.» Je ne réagis pas. Il insista : «Laurent… C'est avec lui que nous avons pris ce repas extraordinaire l'hiver dernier, rappelle-toi.»

Avant que j'aie pu dire quoi que ce soit, Laurent me prit dans ses bras. Il était debout et me serrait contre lui. Et je me sentais bien. Pourquoi? Je n'en savais rien.

Puis, petit à petit, des images de ce repas de mars me revenaient à la mémoire. J'étais triste, cet hiver-là. François m'avait demandé de l'accompagner à un dîner gastronomique et j'avais accepté. J'étais tellement seule que la moindre sortie me paraissait un cadeau venu du ciel. Je me souvenais maintenant. Cet homme était mon voisin de table. Il avait été très sympathique et pourtant réservé, timide même. Après le repas, nous étions allés terminer la soirée chez un des frères de François, où nous avions dansé. Ce Laurent m'avait plu. Mais il avait disparu sans dire au revoir, tard dans la soirée. J'en avais déduit que je n'avais pas dû produire un très gros effet sur lui. Cela m'avait déçue et j'étais rentrée sagement à la maison.

Et voilà que j'étais dans ses bras, en ce beau jour de l'automne 1969. Je n'avais plus envie de bouger. Je souhaitais que la vie s'arrête là. Je lui dis tout bas : «Attention, je pourrais y prendre goût.»

Il me sourit, puis il me fit asseoir près de lui. Il était accompagné d'un ami qu'il nous présenta. À la question de François qui lui demandait ce qu'il faisait là en ce jour, il répondit : «Je suis venu vous voir.»

J'ai aimé l'idée que j'étais peut-être dans ce «vous». Il raconta qu'il nous avait écoutés à la radio et avait eu envie de se joindre à nous. Je n'avais cessé de l'observer. Je le trouvais élégant, drôle et réservé à la fois, distingué et cultivé.

Je regrettais d'avoir rendez-vous à quatorze heures, près de là, avec Jean Duceppe, que je n'avais pas revu depuis le début du mois. C'était notre première rencontre de travail pour le projet de troupe permanente. On me suggéra d'annuler mon rendez-vous mais je ne voulais pas. Je savais que Jean comptait beaucoup sur moi et je ne voulais pas le laisser tomber.

Je réalisais que mon cœur battait plus vite, et j'étais littéralement suspendue aux lèvres de ce Laurent que je ne connaissais pas vraiment… Puis il fut quatorze heures. Je fis la bise à tout le monde comme je le faisais chaque jour. À Laurent, je dis : « À bientôt peut-être. » Il dit : « À bientôt. »

Rendue sur le trottoir, j'avais envie de retourner à l'intérieur, de supplier ce Laurent de me reprendre dans ses bras, de me garder là pour toujours. Je me traitais de folle, de romantique, me répétant que c'étaient là des choses qu'on ne faisait pas dans la vraie vie; que c'était un étranger sympathique, mais un étranger tout de même; que je ne le reverrais probablement pas; que j'avais passé l'âge des coups de foudre et qu'à trente-sept ans je devrais avoir un peu plus de plomb dans la cervelle. Je me moquais de moi-même et je m'accusais d'être sentimentale comme une gamine parce que c'était l'été indien et que le soleil était chaud et doux. Une vraie midinette. Moi qui voulais projeter l'image d'une femme réfléchie, je m'obligeais à respirer lentement pour que mon cœur puisse se calmer.

J'attendais Jean. Il était maintenant quatorze heures trente. Je m'impatientais, mais je savais qu'il était souvent en retard. Nous avions rendez-vous au restaurant d'un hôtel du voisinage. J'avais choisi un coin tranquille de la salle à manger pour que nous puissions travailler en paix.

À quinze heures, l'évidence s'imposa : Jean ne viendrait pas. J'étais furieuse. Il aurait pu au moins me prévenir. Je rangeai au fond de ma serviette les papiers que j'en avais sortis. Il ne me restait plus qu'une chose à faire : retourner au café des Artistes, pour retrouver mes amis et leur dire que ça avait été un rendez-vous manqué.

Quand j'entrai au café, il n'y avait plus personne. Déçue, j'allai prendre ma voiture et je rentrai à la maison. En route, j'étais troublée. Je pensais à Laurent et je réalisais que je ne connaissais même pas son nom de famille. Qui était donc ce Laurent ? Qui pourrait me renseigner ? Je me disais qu'il était sûrement marié. N'était-ce pas toujours le cas ? Et, pour moi, cela signifiait « pas touche ». J'avais des principes, mais la curiosité me tenaillait.

En arrivant à la maison, je tentai de joindre Jean par téléphone, pour lui expliquer que je voulais bien l'aider mais que je n'avais pas de temps à perdre et que notre association était bien mal partie. Je savais qu'il n'était pas quelqu'un qu'on pouvait attacher, même pas avec des responsabilités professionnelles, et tout à coup j'eus peur. S'il allait m'embarquer dans quelque chose qu'il serait prêt à abandonner lui-même peu après, que ferais-je ? Ma nouvelle liberté était trop fragile pour que je prenne un tel risque en ce moment. Je m'en voulais de tout remettre en question pour un retard, mais je savais aussi qu'il valait mieux que cela se produise maintenant que dans six mois. Il valait mieux aussi que je consacre tous mes efforts à mon métier, plutôt que dans le théâtre, où je ne connaissais rien. Ce n'était pas mon monde. J'étais bien décidée à faire part de mes réflexions à Jean dès que je le verrais.

J'avais reçu le message de rappeler Louise Jasmin. Nous travaillions ensemble depuis longtemps mais c'était d'abord une amie très sûre. Je lui demandai si elle connaissait ce Laurent que je venais de rencontrer. Je lui racontai ce que je savais de lui, comment je l'avais connu, qui il fréquentait, les Cousineau entre autres. Louise connaissait tout le monde. C'est d'ailleurs beaucoup pour ça qu'elle était une extraordinaire recherchiste. Je lui mentionnai le nom de l'ami qui nous avait accompagnés tout à l'heure au café, et elle finit par dire : «Ce doit être Laurent Bourguignon.»

Elle connaissait la femme de l'ami en question et elle pouvait aller aux renseignements pour moi. Qui était-il? Que faisait-il dans la vie? Était-il marié? Louise riait au bout du fil. J'essayai de lui faire croire que ce n'était là que ma curiosité habituelle. Elle riait encore plus. Elle me dit : «Donne-moi une heure, je vais voir ce que je peux faire…»

Une heure plus tard, je savais tout. Il avait trente-sept ans, alors que je venais d'en avoir trente-huit. Il était marié et il avait des enfants. Je savais où il habitait et ce qu'il faisait dans la vie. Je connaissais le nom de ses amis et sa passion pour la musique, pour le violon en particulier. Je ris avec Louise en lui jurant qu'elle était certainement la meilleure recherchiste que je connaissais, mais que ça me faisait une belle jambe. Je finis par lui dire que c'était aussi bien comme ça, qu'il n'y avait pas de place dans ma vie pour ce genre d'aventure. Je la remerçiai quand même. Elle m'évitait de perdre mon temps.

J'étais encore tout près du téléphone lorsqu'il sonna de nouveau. J'étais convaincue que c'était Louise qui avait oublié un détail. C'était François Cousineau, qui m'apprit que Laurent était toujours avec lui et qu'ils avaient décidé de venir se baigner chez moi. Hélas! la piscine était pratiquement fermée et déjà pleine de feuilles. Il me dit alors que, si le cœur m'en disait, je pouvais aller les retrouver chez lui, que ça ferait sûrement plaisir à Laurent. Il ajouta qu'il devait sortir dans la soirée.

«Ma Marie-Louise, au secours! Si tu penses que c'est mieux que je n'y aille pas, fais tomber le ciel sur ma tête tout de suite. Parce que autrement il n'y a rien pour m'empêcher de rejoindre cet homme. Je ne sais pas ce qui va m'arriver et ça m'est égal. J'ai du mal à respirer tellement mon cœur bat fort. Je sais que je devrais être plus raisonnable, mais je ne suis pas douée pour la sainteté. J'ai envie d'être aimée, ma Marie-Louise. Il n'y a plus d'amour dans ma vie depuis Paris. Je suis prête à m'y brûler les ailes, ma Marie-Louise. Je me sens revivre enfin.»

Ayant une gardienne à la maison, je n'étais pas inquiète pour les enfants. Je pouvais m'absenter quelques heures. Dans la voiture, je revoyais les événements. Une rencontre en mars dernier, puis une petite heure ce midi au café. Je réalisais tout à coup que j'étais en train de faire une montagne avec ce qui n'était probablement que de la simple curiosité. Cet homme voulait savoir «ce que ça mangeait, une féministe, en dehors des émissions de radio qu'elle animait». Il se demandait si je chantais la même chanson en dehors des heures de travail. Je m'exhortai au calme. Je regrettais de ne pas avoir répondu que j'étais très occupée, mais j'étais déjà arrivée chez François.

Une fois entrée, je me retrouvai dans ces bras qui m'enveloppaient avec tendresse. J'étais sans voix tellement tout cela me paraissait naturel. Comme si nous nous connaissions depuis longtemps. Je rangeai les armes. J'espérais qu'il n'y avait pas d'ennemi en face de moi.

Nous avons fait connaissance tout doucement. Nous parlâmes de tout et de rien. Je lui racontai d'où je venais, où j'étais rendue. Puis François nous a quittés en nous disant qu'il nous laissait la maison, ajoutant, moqueur, que son lit était propre, ce qui nous a fait rire.

Je devrais être terrorisée. J'étais sans défense. Ma seule expérience préalable avec un homme marié m'avait fait plus de mal que de bien, malgré les promesses qu'il m'avait faites. J'aurais voulu réfléchir mais je ne le pouvais pas. Tout était confus dans mon esprit. Je finis par me dire que je réfléchirais après. Qu'il fallait que je cesse de vouloir tout comprendre et tout contrôler. Qu'il se pouvait qu'après cette rencontre il ne se passe rien du tout et que cela m'était égal.

Plus tard, après l'amour, dans un restaurant où il m'avait invitée, nous n'avions plus de mots. Il nous a suffi de nous dire que nous savions ce que nous faisions, que nous en assumions les conséquences, que nous étions des adultes consentants et que nous allions nous avancer sur le terrain de nos vies respectives avec délicatesse et respect. Je confirmai à Laurent que ma liberté était toute neuve, que je ne désirais pas d'engagement à long terme pour le moment et que, si une aventure lui convenait, je serais heureuse de partager un bout de vie avec lui, sans autre promesse que celle de ne pas faire de mal autour de nous. Il me répondit que lui cherchait justement le contraire. Que les aventures ne l'intéressaient plus et qu'il était rendu à ce point important de sa vie où il souhaitait un engagement plus profond.

C'est là que le ciel m'est tombé sur la tête. Ma Marie-Louise m'envoyait une bombe à retardement. J'ai failli tomber en bas de ma chaise. Tous les hommes de la terre sont des candidats possibles à une aventure. Qu'on ne me dise pas le contraire! Je les connais assez pour savoir que j'ai raison. Qu'on propose à un homme de le voir de temps en temps, sans que personne en sache jamais rien, et vous verrez bien ce qu'il dira. Promettez-lui de ne jamais le déranger, de ne jamais rien lui demander, d'être à sa disposition quand il le voudra, sans jamais rien exiger en retour, sans mettre son quotidien en danger, et vous verrez bien que j'ai raison. Et il fallait que je tombe sur le seul homme qui voulait un engagement profond.

J'étais en instance de divorce mais mon avocat m'avait déjà expliqué qu'il faudrait des années avant que les procédures judiciaires ne soient terminées. On ne divorçait pas facilement, à l'époque. Il fallait prouver l'adultère du conjoint. C'était sordide. Je venais à peine de découvrir le bonheur de dormir seule la nuit et j'étais bien décidée à vivre ma vie de fille avant de penser à m'engager de nouveau à long terme. Je ne savais pas s'il fallait rire ou pleurer.

Laurent me ramena à ma voiture et nous nous quittâmes sans nous donner un autre rendez-vous. J'étais fascinée par cet homme qui était parvenu à me prouver que tous les hommes n'étaient pas pareils. Il avait réussi là où aucun autre n'avait réussi auparavant. Il m'avait surprise dans mes plus profonds retranchements. Je m'attendais qu'il saute sur l'occasion de se laisser aimer par une femme qui, ayant déjà tout donné, s'était retrouvée les mains vides en se jurant qu'on ne l'y reprendrait plus, et qu'il en tire sa gloire personnelle. Il renvoyait la balle dans mon camp en me demandant de tout investir encore une fois dans l'amour d'un seul homme, alors que j'étais à peine guérie du premier. Il demandait tout, alors que je m'étais juré de ne plus jamais tout donner. Je savais déjà que je n'avais le choix qu'entre deux possibilités : passer mon chemin et fuir le plus vite possible, ou choisir la voie difficile et ré-apprendre avec lui la confiance.

Ce n'était pas une mince tâche. Je ne pouvais même pas dire si seulement j'en étais capable et surtout combien de temps il me faudrait pour y arriver. S'il était vrai qu'un chat échaudé craint l'eau froide, je ne voyais pas comment j'allais pouvoir remettre ma main dans celle d'un homme, quel qu'il soit, en acceptant de tout partager avec lui. Il y a des cicatrices qui sont inguérissables. Je ne dormis pas, cette nuit-là. Je vivais seule depuis un an à peine et il n'y avait pas de place dans ma vie pour autre chose qu'un amant. C'était à prendre ou à laisser. La vie à deux à perpétuité, j'avais déjà donné.

4

Une leçon de séduction

Je pensais à Laurent tout le temps. Mais il ne donnait pas signe de vie. Je ne comprenais plus rien, parce que, en principe, s'il était sincère, il aurait dû vouloir pousser son avantage et m'obliger à me commettre auprès de lui. Son silence m'énervait.

En fait, tout m'énervait. Jean Duceppe s'était transformé en courant d'air. C'est moi qui me retrouvais avec son «rêve» sur les épaules et je commençais à réaliser que ce qui était si urgent en août n'était plus prioritaire en octobre. À la première occasion, je lui remis les documents que j'avais en ma possession, en lui demandant de me faire signe seulement quand il aurait du temps à consacrer au projet. Je n'avais aucune envie de me retrouver seule dans cette galère car je ne connaissais pas grand-chose dans ce domaine, et, s'il n'y tenait pas vraiment, lui dont c'était le rêve, je perdais mon temps.

François Cousineau se moquait de moi. Il avait deviné que j'étais bien plus bouleversée que je ne voulais le laisser paraître. J'essayais de lui expliquer que je n'étais pas prête pour le grand amour, que j'avais besoin de faire le tour de mon jardin avant d'y laisser entrer quelqu'un d'autre. Cela l'amusait. Mais Michèle Verner, recherchiste à l'émission, qui m'observait chaque jour, m'annonça sans ménagement : «Toi, ma fille, tu es amoureuse.»

Ma réaction fut instantanée. Quelle connerie! S'il était vrai que j'étais amoureuse, c'était d'un homme qui n'avait même pas donné signe de vie depuis plusieurs jours. Chaque midi, sans en parler à qui que ce soit, je m'attendais à le trouver au café des Artistes. Invariablement, c'était la déception. Il n'y était jamais. Pas un mot, pas un signe, rien. J'enrageais contre cette méthode déloyale qu'il avait utilisée et qui consistait à déposer une proposition sérieuse, grave même, et à ne pas y donner suite. De là à penser qu'il s'était moqué de moi et que, ayant eu droit à son moment d'intimité, il m'avait oubliée, il n'y avait qu'un pas que je ne mis pas beaucoup de temps à franchir.

J'étais furieuse et humiliée. Je me disais qu'il devait regretter amèrement d'être allé aussi loin, en paroles tout au moins, et qu'il avait dû prendre ses jambes à son cou dès qu'il avait réalisé dans quelle situation il s'était placé.

Je passais de la colère à la tristesse. Je me disais que mes paroles n'avaient pas été assez claires et qu'il n'avait pas compris que je ne demandais rien de mon côté. Ma proposition de faire «un bout de chemin» ensemble n'avait pas été bien comprise. Avec la réputation que j'avais, il avait cru que, s'il n'y avait pas promesse de mariage à la première rencontre, il ne pourrait rien y avoir du tout.

Je voulais repartir à zéro, pouvoir lui expliquer que, vu la situation dans laquelle je me trouvais, je serais heureuse d'un peu de temps qu'il pourrait me consacrer. Mais comment le faire sans être ridicule et sans risquer de me faire répondre que ça ne l'intéressait pas ? Nous nous étions quand même confié tellement de choses importantes, la première fois, que j'avais peur de découvrir qu'il n'était qu'un autre séducteur habile et qu'il ne parlait pas sincèrement. Mon amour-propre m'interdisait de faire les premiers pas, mais j'en crevais.

Qu'étaient devenus mes beaux principes ? Cet homme dont je rêvais était marié. Bien sûr, il m'avait dit que son mariage ne tenait qu'à un fil, mais ne disaient-ils pas tous cela ? À *Place aux femmes*, j'avais toujours affirmé qu'il ne fallait pas croire ce genre de déclaration de la part des hommes, et qu'ils reniaient volontiers leur légitime épouse contre un bon moment avec une autre femme dont ils avaient envie. Je n'allais quand même pas tomber dans ce piège odieux moi-même. Je devrais être loin déjà, avoir fui aussi loin que possible sans me retourner. Pourtant, je ne le pouvais pas.

J'avais tout le temps de réfléchir. Sa tactique de ne pas téléphoner était la bonne, c'était évident. S'il jouait à se laisser désirer, c'était réussi, et, en ne bougeant pas, il marquait des points. Pour moi, il était devenu une véritable obsession. J'avais besoin de savoir s'il était sincère ou s'il jouait. J'avais besoin surtout de comprendre les règles du jeu.

« Ma Marie-Louise, je suis amoureuse. Moi qui avais juré qu'on ne m'y reprendrait plus, je ne dors plus, je ne mange plus et je pense à lui tout le temps. Mes interventions à l'émission sont truffées de messages pour lui, en espérant qu'il les entende. J'ai dix-sept ans à nouveau. J'ai peur de m'être fait avoir par un beau parleur et je ne sais pas ce qu'il faut faire. Je ne veux pas qu'on me brise le cœur encore une fois. »

Déjà deux semaines avaient passé depuis notre première rencontre. C'était foutu, j'en étais certaine. Je décidai de mettre fin à cette folie avant qu'il ne soit trop tard. Je m'en ouvris à Michèle Verner, qui me dit qu'avant de tourner la page je devrais au moins lui dire que je n'étais pas dupe, que je reconnaissais qu'il avait bien manœuvré et qu'il avait du talent pour un tombeur, et que c'était bien dommage, mais tant pis… Dès que je l'eus joint par téléphone, il me dit qu'il attendait cet appel. Avant que j'aie pu finir mon discours de rupture, nous avions rendez-vous pour le lunch le lendemain.

J'étais bouche bée. À quoi jouait-il? Je n'étais quand même pas née de la dernière pluie et pourtant il avait suffi de cinq minutes au téléphone pour me rembarquer aussi totalement que la première fois. J'avais préparé ma remontrance avec humour. J'allais être méchante et cynique volontairement, pour sauver l'honneur, et voilà que je n'avais rien dit du tout. J'avais acquiescé au rendez-vous sans me faire prier, et j'avais le cœur qui s'emballait encore une fois. Une chose était sûre : ce n'était pas moi qui menais le jeu.

Le lendemain, à ma grande surprise, Laurent ne se présenta pas seul. Il était accompagné de son frère, qui était aussi son meilleur ami. La présence d'une troisième personne nous empêcha de reprendre la conversation là où nous l'avions laissée. Nous ne parlâmes de rien d'important et je restai sur ma faim pendant toute la rencontre. Il me semblait qu'il se donnait beaucoup de mal pour que j'apprenne à le connaître mieux. Il parlait des choses qui lui tenaient à cœur, de ses goûts, des voyages qu'il avait faits et qu'il rêvait de faire encore. Cet homme était une énigme et je me disais qu'il faudrait maintenant du temps pour l'apprivoiser.

Je comprenais qu'il puisse avoir peur. Il ne le disait pas, mais je le devinais. J'avais la terrible réputation d'être une «féministe enragée et une dévoreuse d'hommes». Jusque-là, cela m'avait fait plutôt rire; cependant, maintenant que j'étais amoureuse de quelqu'un, je venais de réaliser qu'il me faudrait me dépouiller de cette réputation pour me montrer telle que j'étais, avec mes forces et mes faiblesses, et surtout avec mon désir profond d'une relation basée sur le respect mutuel dans l'égalité et la confiance. Tout un programme. Ce jour-là, je sus que j'étais prête à y mettre le temps nécessaire. Encore une fois, je jouais ma vie.

Le samedi suivant, Laurent vint me chercher à la maison pour m'emmener chez lui. Quand nous sommes entrés, j'ai bien compris que sa femme était absente mais que ses plus jeunes enfants dormaient dans leurs chambres respectives. Il est allé couper une des dernières roses de son jardin pour me l'offrir. Il fit du café. Nous n'avons pas beaucoup parlé, mais j'ai compris qu'il voulait que je sache où il vivait. Il souhaitait que je réalise pleinement qu'il avait quatre enfants. Si nous devions aller plus loin ensemble, je devais tenir compte du fait qu'éventuellement il se pouvait que nous nous retrouvions à élever sept enfants à nous deux. Il voulait que je comprenne aussi — il me l'a raconté plus tard — qu'il ferait tout son possible pour que ses enfants ne souffrent pas de ce que nous étions en train de vivre, mais qu'il était prêt à prendre le risque de ne les retrouver que beaucoup plus tard, quand ils seraient grands et en mesure de comprendre.

L'idée d'être une briseuse de ménage me faisait horreur. Dès les premières conversations, il m'avait dit clairement que nos sept enfants étaient trop importants pour que ce que nous voulions vivre ensemble ne soit qu'une aventure passagère. Il insistait lourdement sur le fait que nous n'avions pas le droit d'entraîner sept autres personnes dans une histoire sans lendemain. J'étais d'accord, mais cela m'obligeait à m'engager pleinement.

Nous attendîmes plusieurs semaines avant de refaire l'amour. Laurent craignait que cette immense passion ne se consume en un grand feu spectaculaire, et il voulait bâtir sur du solide. Il répétait ce dicton : «Le temps ne respecte rien de ce qui est fait sans lui.» Je finis par reconnaître que cela avait du sens.

Petit à petit, nous avons appris la confiance. J'ai commencé à prévenir mes enfants que, au contraire de ce que j'avais annoncé au moment du départ de leur père, il se pouvait qu'un autre homme entre dans la maison bientôt. Laurent venait dîner de temps en temps et il fit leur connaissance. Leur accueil fut assez réservé, mais je connaissais sa délicatesse et sa patience et je savais qu'il n'allait pas s'imposer dans notre famille sans s'être assuré de s'y faire une place bien à lui. Ce qui n'allait pas manquer d'arriver même s'il fallut du temps.

En cet hiver 1969, je recommençai à attendre. Parfois un téléphone, parfois une rencontre. La période des fêtes fut la plus difficile. Nous nous étions arrachés l'un à l'autre la veille de Noël et nous savions que nous ne pourrions nous revoir avant plusieurs jours. La solitude était terrifiante chaque fois qu'elle était imposée par les circonstances ou les convenances. Nous cherchions à inventer des moyens d'être ensemble plus longtemps. Nous avions envie de voyager ensemble et de dormir ensemble en toute tranquillité.

Nous nous promîmes que nous allions vivre ensemble un jour. Mais quand? Moi, j'étais libre, mais pas lui. Je ne voulais pas connaître les détails de sa vie. Je ne savais pas bien ce qu'il considérait comme un délai raisonnable. Allait-il éventuellement quitter sa maison ou pensait-il que la rupture viendrait plutôt de l'autre partie? Comment s'y prendrait-il pour obtenir la garde de ses enfants, puisqu'il en parlait si souvent? Je n'avais pas de réponses à ces questions.

J'acceptai donc tacitement de vivre comme si j'étais mariée. Ma vie de fille n'avait pas duré longtemps. J'aimais cet homme suffisamment pour l'attendre et surtout le partager pendant une période d'une durée imprévisible. Dans les moments de solitude, je me traitais de nouveau de folle. Je me disais que j'avais eu tort de mettre encore une fois tous mes œufs dans le même panier, mais j'étais si amoureuse que je ne voyais pas comment j'aurais pu faire autrement.

Il y eut des hauts et des bas, bien sûr. J'eus des moments terribles de désespérance où j'étais de nouveau convaincue qu'il me faisait marcher et qu'il jouait avec mes sentiments. Quand nous étions ensemble cependant, j'étais si comblée que je n'avais plus envie d'échanger ce que j'avais contre quoi que ce soit d'autre. Je n'avais jamais connu un amour comme celui-là.

Une première année passa, puis une deuxième. Quand je parlais de ma situation avec mes amies, je comparais mon sort à ces «éternelles fiancées» qu'on n'épouse jamais, même après quinze ou vingt ans de fiançailles. Je me moquais de moi-même et, à certains moments, je me voyais déjà vieille, attendant encore qu'il ait décidé de quitter sa femme. Il m'arrivait de ne plus y croire du tout. J'ai eu souvent envie de tout rompre et de faire le ménage complet dans ma vie. J'ai pleuré. J'ai fait des scènes. Cela n'a servi à rien. Et puis, tout doucement, j'ai accepté la situation à laquelle je ne pouvais rien changer. J'étais toujours aussi amoureuse et la rupture m'aurait fait trop mal. J'ai décidé de laisser faire le temps, qui ne manquerait pas de nous séparer s'il ne se passait rien. J'ai accepté mon sort.

Peu de temps après, le 14 février 1972, nous déjeunions ensemble pour fêter la Saint-Valentin. À la fin du repas, Laurent me dit : «Écoute, je ne t'en avais pas parlé avant, mais j'ai mes chemises et mes vêtements dans le coffre de ma voiture. Qu'est-ce que j'en fais?»

Il m'a fallu quelques minutes pour comprendre ce qui s'était passé. Il avait quitté son domicile. C'était sa façon de me dire que, si je le voulais toujours, il était prêt à s'installer chez moi. Nous pouvions dorénavant vivre ensemble.

Nous sommes rentrés à la maison.

5

La mort de Studio 11

Depuis le début de *Studio 11*, cette émission quotidienne de deux heures, je trouvais mon rôle de plus en plus
difficile. En fait, nous étions trois animateurs depuis le
début : Guy Provost, Jacques Fauteux et moi. Mon rôle
était de mener les entrevues et de faire les liens durant
l'émission. Mes deux collègues pouvaient intervenir quand
ils le voulaient, ce qui avait pour résultat que, quand je
m'apprêtais à terminer une entrevue et que je préparais
mon punch, il arrivait souvent qu'une de leurs interventions fasse tout déraper. Je devais alors me débrouiller
avec une entrevue qui ne menait nulle part. J'en avais
souvent discuté avec Jean Baulu, le réalisateur, ou Jean
Boisvert, mais la situation ne se corrigeait pas et je
m'impatientais de temps en temps.

Guy Provost était moins discipliné que Jacques
Fauteux. Il aimait bien placer un bon mot, même à
contretemps. J'expliquais souvent que cette émission en
direct était comme une tour de contrôle où nous étions trois
à donner des instructions pour faire atterrir un avion. Avec
le résultat qu'on peut imaginer. Au printemps 1972, après

sept ans de direct quotidien, j'ai osé demander un changement chez les animateurs. J'aurais souhaité continuer avec Fauteux seul, qui m'apparaissait apporter à l'émission un souffle plus nouveau que Guy Provost, avec qui je travaillais depuis sept ans sans interruption. Les patrons ont choisi de garder les deux animateurs. C'est moi qui me suis retrouvée sans travail.

J'ai vécu cette décision comme une terrible injustice et j'ai pleuré toutes les larmes de mon corps. J'avais l'impression d'avoir été jetée comme un vieux chiffon, alors qu'on m'avait si souvent répété que j'étais l'âme de cette émission du matin. J'y ai reconnu cette terrible solidarité masculine dont les femmes étaient si souvent victimes au travail et contre laquelle je ne pouvais avoir le dernier mot. J'appris donc en juin que je n'avais pas de travail pour l'automne. C'était une véritable catastrophe. Je sentais de plus qu'on voulait me briser, m'obliger à me mettre à genoux pour demander à reprendre mon poste. On avait toujours espéré «me dompter» à Radio-Canada, où on avait toujours eu peur que mes succès me montent à la tête. On avait toujours trouvé que je prenais beaucoup de place et on supportait mal de ne pas pouvoir m'imposer des décisions qui ne me convenaient pas. On avait souvent tenté de me faire sentir que Guy Provost était plus important que moi dans les émissions que nous faisions ensemble et que c'était lui que le public aimait écouter.

On ne se privait pas de me le rappeler de temps en temps. On craignait surtout que je prenne conscience de mon talent et que je veuille alors en tirer profit. On savait que j'avais des responsabilités importantes sur le plan financier et, en m'enlevant mes revenus, on pensait me dompter une fois pour toutes. À un réalisateur qui m'avait

Laurent n'est jamais loin de moi.
Il est mon ange gardien.

Appelez-moi Lise, c'est d'abord
l'histoire d'une équipe, liée par
une amitié très forte qui perdurera
bien après la fin de l'émission.
(De g. à d.: Jacques Fauteux, Richard
Ring, François Cousineau.)

Ginette Reno a peut-être parfois
des états d'âme, mais c'est
une fameuse raconteuse d'histoires.

Chacun des invités se montrait
sous son meilleur jour.
C'était aussi le cas de Joël Denis.

Gilles Latulippe a toujours été l'un
des invités préférés du public
et l'un des plus généreux en entrevue.

Avec Jacques Fauteux,
mon ami Sergio Leone.

Jacques Brel était déjà malade.
Une heure passée avec lui… comme pour la
lecture du testament.

Je ne me souviens pas de toutes les confidences
qu'on m'a faites durant mes entrevues, mais j'ai conservé
des photos dans mon album personnel.
Des visages qui disent le désarroi, le bonheur, l'insouciance
et l'inquiétude, ces sentiments qui font que les vedettes
sont des êtres comme tous les autres…
C'est auprès d'eux que j'ai appris que les plus grands
sont les plus simples. Toujours.

Elle avait demandé un petit
coussin pour calmer son
angoisse : Juliette Gréco.

Lino Ventura, secret
et généreux.

De haut en bas :
Jean Seberg,
Marcello Mastroianni,
Catherine Deneuve
et Josephine Baker.

De haut en bas :
Philippe Noiret,
Johnny Hallyday,
Serge Gainsbourg,
Henri Salvador
et Mireille Darc.

La vedette la plus patiente :
Georges Brassens.

Nous dansons pour marquer la fin d' *Altitude 755*,
notre émission concurrente à Télé-Métropole.
Un coup de chapeau à Réal Giguère, qui en était
l'animateur avec Dominique Michel.

déjà dit que je ne quitterais jamais un emploi qui rapportait cent mille dollars par année, j'avais répondu qu'il fallait ne les avoir jamais gagnés, ces cent mille dollars, pour penser cela, car, quand on les avait gagnés une fois, on savait qu'on allait les gagner de nouveau, ailleurs, si c'était nécessaire.

Nous étions en juin et je n'avais pas de temps à perdre. Je n'allais certainement pas me mettre à genoux. Je ne l'avais jamais fait et je n'avais pas l'intention de commencer. Ils pouvaient bien s'arranger comme ils le voulaient avec leur nouvelle émission, c'était tant pis pour eux. J'allais passer à autre chose. Mais quoi? Où aller frapper quand on sait que pratiquement toutes les décisions sont prises pour l'automne. Le temps jouait contre moi.

Je frappai d'abord à la porte de CKAC, où, après m'avoir fait attendre pendant trois semaines, on finit par me dire que, hélas, on n'avait rien à me proposer. J'allai ensuite à CKVL, où le grand patron, M. Teitleman lui-même, me reçut et m'offrit une émission de ligne ouverte. Je lui répondis que je voulais faire de la radio et que je ne cherchais pas un emploi de téléphoniste. Mes démarches n'aboutissaient à rien.

Durant toute la saison précédente à la télévision de Radio-Canada, on avait présenté un talk-show quotidien qui avait pour titre *Ce soir Jean-Pierre*, animé par Jean-Pierre Coallier. L'émission n'avait pas été un succès et les journaux avaient annoncé qu'elle ne reviendrait pas à l'automne. En regardant cette émission, il m'était souvent arrivé de me dire que moi, à la place de Jean-Pierre, je ferais ceci ou cela, comme on le fait parfois quand on regarde travailler quelqu'un d'autre dans un métier qu'on connaît. Je n'avais jamais pensé cependant que je pouvais le remplacer. Mes seules expériences de télévision, à l'émission *Votre choix* avec Nicole Germain, n'avaient pas suscité de grands éclats. Quand à Télé-Métropole, où j'étais allée rencontrer Robert L'Herbier une fois, il m'avait dit, sur un ton paternaliste : «Avec la taille que vous avez, il vaut mieux que vous restiez à la radio.» Cela n'avait rien fait pour m'encourager à planifier une carrière à la télévision. Je pris toutefois mon courage à deux mains et je sollicitai un rendez-vous avec Jacques Blouin, alors patron des variétés à Radio-Canada et de qui relevait l'émission de Coallier. Je savais qui il était, car j'avais travaillé comme recherchiste pour certaines des émissions de son service, notamment *Les Beaux Dimanches*, avec Yves Corbeil comme animateur et Pierre Desjardins comme réalisateur. Sa première question fut quand même : «Qui êtes-vous ?»

Je m'entendis lui expliquer que j'animais des émissions quotidiennes à la radio depuis sept ans, que *Place aux femmes* et *Studio 11* c'était moi, et que le métier d'intervieweuse n'avait plus de secrets pour moi puisque je faisais cinq à dix entrevues par jour en direct et devant public. J'en avais à peu près huit mille à mon crédit. Il n'en croyait pas ses oreilles. Je lui expliquai que, si on mettait une caméra dans notre studio de radio, ce serait de la télévision comme il ne s'en faisait pas beaucoup au petit écran. Notre émission était bien meilleure, en fait, que beaucoup d'émissions de télévision. Il m'écoutait avec étonnement comme si j'étais en train de lui apprendre que la radio avait été inventée la veille. Je lui offris de lui faire parvenir des enregistrements, grâce auxquels il pourrait découvrir ma façon de travailler, mon aisance pendant les entrevues. Peut-être pourrait-il envisager de me confier l'émission de fin de soirée à compter de septembre prochain ? Visiblement, il ne savait pas quoi répondre.

De retour à la maison, j'estimai que mes chances de succès étaient très minces. Sur une échelle de 0 à 10, je ne me donnais que 3 ou 4. Je ne savais plus à quel saint me vouer.

On avait confirmé la rumeur de mon départ de la radio de Radio-Canada dans les journaux. À mon grand étonnement, je reçus un matin un appel téléphonique de Serge Laprade, qui était alors directeur des programmes à CKLM. Il m'offrait la période de neuf heures à onze heures, tous les jours, à compter de septembre 1972. J'acceptai sans hésiter. Le salaire n'était pas celui de Radio-Canada, mais je finis par me convaincre que, en cumulant ce que je pourrais éventuellement gagner en écrivant dans les journaux et les magazines, j'y arriverais. Je remerciai Serge en lui disant que je n'oublierais jamais le geste qu'il venait de poser.

En juillet, à ma grande surprise, Jacques Blouin me rappela en me demandant de rencontrer Jean Bissonnette. J'étais convaincue que c'était davantage par politesse que pour quelque autre raison. Il ne voulait pas que je pense qu'il n'avait rien fait. Je pris donc rendez-vous avec Bissonnette, que je connaissais un peu pour avoir essayé de lui vendre des textes pour *Moi et l'autre*, textes qu'il avait refusés. Je connaissais surtout son talent et l'immense réputation qu'il s'était acquise dans le métier.

Durant le lunch, j'ai commencé à l'appeler par son surnom, «Biss». Je lui expliquai comment je voyais le talk-show de fin de soirée. Je lui parlai du ton qu'il fallait donner à ce genre d'émission, du rôle d'un coanimateur et des musiciens, de la place que devait prendre l'animatrice. La seule référence, à l'époque, était le *Tonight Show* de Johnny Carson, qui connaissait un succès sans égal aux États-Unis. Carson avait le sens de la répartie, mais il était calme et il faisait toujours du public son grand complice en tout. Il me semblait que c'était la bonne méthode. Jean me dit qu'il avait le mandat de m'offrir de passer un test. Je dus me faire expliquer ce qu'il entendait par là, parce que j'avais animé *Votre choix* et que j'étais à la radio tous les jours depuis sept ans. Il me demanda de me présenter à un studio tel jour à telle heure, avec une robe longue si c'était possible. Je n'en croyais pas mes oreilles.

Au jour dit, j'y étais. Bissonnette m'installa derrière une table d'animation, avec une caméra braquée sur moi, et me demanda d'improviser pendant quelques minutes. Honnêtement, je n'ai aucune idée de ce dont j'ai parlé. Je ne garde que le souvenir du «Ça tourne» et du «Coupez» qui avaient été le signal du départ et celui de l'arrivée. Jean Bissonnette revint dans le studio. J'ai peut-être demandé : «Et puis?» Il m'a regardée et il a dit : «Tu as une présence qui crève l'écran, ça va faire un malheur.» Il a ajouté : «Si tu veux prendre des vacances, fais-le maintenant, parce que après tu risques d'être pas mal occupée.»

Je suis retournée à la maison sans savoir ce qui allait arriver ensuite. Bissonnette avait dit qu'il allait me téléphoner. Je flottais sur un nuage.

Quand l'administrateur du service a rappelé pour me demander si j'avais un agent pour s'occuper de la négociation, je lui ai répondu que je lui enverrais Laurent. Je ne voulais plus négocier moi-même et me faire demander si je me prenais pour Michèle Tisseyre par des négociateurs qui commençaient toujours par vous écraser l'ego afin de pouvoir vous payer moins cher par la suite. Quand il me dit que ce serait un contrat d'exclusivité, je lui répondis que, hélas, j'avais déjà accepté un contrat à la radio pour septembre. Il me fit comprendre qu'il fallait m'en débarrasser. Radio-Canada n'achèterait rien d'autre que l'exclusivité. J'entends encore ma réponse : «Quand je n'avais rien, j'étais bien contente de l'offre de CKLM. Je ne vais pas les laisser tomber parce que vous êtes arrivés les deuxièmes. Je peux faire les deux.» Je sentis qu'il y avait un os. Il y eut un long silence. Il me répondit qu'il allait s'informer et me rappeler.

Je n'entendis plus parler de rien pendant plusieurs jours. Enfin, Bissonnette rappela. Je pourrais avoir Jacques Fauteux comme coanimateur, François Cousineau comme chef d'orchestre, mes deux recherchistes principales, Louise Jasmin et Michèle Verner, avec quelques autres en plus, et il réaliserait lui-même l'émission de vingt-trois heures. On cherchait un titre. La direction râlait un peu, mais on avait fini par accepter que j'honore mon contrat de radio à CKLM. Yvon Duhaime ferait mes costumes et nous ne lancerions la nouvelle émission qu'à la mi-septembre, pour bénéficier d'un peu de publicité spéciale une fois la saison d'automne démarrée. Je partis pour la Nouvelle-Angleterre pour deux semaines avec Laurent. Jamais, de toute ma vie, je n'avais été aussi heureuse. Il ne restait plus qu'à apprendre à maîtriser le trac et qu'à trouver le titre de l'émission.

Je m'estimais bien préparée pour cette fabuleuse aventure. J'en avais tellement vécu de toutes les sortes à la radio que plus rien ne pouvait me surprendre dans ce métier. Je savais que, depuis Paris, je m'étais forgé une expérience rare comme intervieweuse et que cette nouvelle émission me permettrait d'utiliser tout mon savoir-faire. Je savais travailler en direct et je savais aussi bien interroger les gens volubiles que les timides à qui il fallait arracher les confidences mot par mot.

On désirait réaliser l'émission dans un vaste centre commercial d'Anjou, dans l'est de Montréal. Cela ne me paraissait pas le lieu idéal, mais, qu'à cela ne tienne, ce serait une expérience de plus pour moi. Radio-Canada avait décidé de se rapprocher de son public, cette année-là. Avec Jacques Boulanger qui allait s'installer au Complexe Desjardins et nous dans l'Est, la direction devait penser qu'elle remplissait mieux son mandat.

Sur la plage d'Ogunquit, en août, nous cherchions un titre pour l'émission. Nous avions essayé toutes les combinaisons possibles mais aucune formule ne retenait notre attention plus de deux ou trois minutes. Un jour, dans le jardin de l'hôtel, on vint me prévenir que je recevais un appel de Montréal. C'était Jean Bissonnette, qui voulait savoir si nous avions trouvé un titre. J'allais lui annoncer que nous n'avions rien trouvé quand Laurent me dit : «*On t'appelle Lise*»..., puis «*On l'appelle Lise*»..., puis «*Appelez-moi Lise*». C'était visiblement l'appel de Jean qui l'avait mis sur cette piste... Je le regardai en riant. Je savais qu'il avait trouvé. Bissonnette fut enchanté dès que je le lui répétai : *Appelez-moi Lise*.

6

Appelez-moi Lise

Je devais me retrouver un jour en studio au mois d'août pour expliquer aux concepteurs quelle sorte de table d'animation je voulais. Je souhaitais qu'elle soit petite, pour permettre d'établir une connivence rapide avec l'invité qu'on installerait à mes côtés durant l'entrevue. Je voulais une table uniquement pour me permettre de poser les mains de temps en temps et un bout de papier, si nécessaire, pour les présentations. Ce fut fait rapidement. Le choix des micros allait prendre des heures. Fallait-il utiliser un énorme micro des débuts de la radio, comme le faisait Carson, ou passer à l'ère moderne et utiliser ces micros-crayons qu'on connaissait encore mal mais qui avaient plus belle allure à l'écran? On opta pour les micros-crayons.

On s'affairait à la construction des décors. Je passai des heures à essayer des robes parfois étonnantes qu'Yvon Duhaime faisait coudre pour moi. Les séances d'essayage étaient parsemées de fous rires. Souvent il m'arrivait de dire que jamais je ne me mettrais ça sur le dos. Yvon répondait : «Ma fille, j'en ai vingt à faire pour commencer.

Et tu vas être là pour un moment. Alors, arrête de faire la difficile !»

Avec la direction, j'avais défendu ma conviction. On m'offrait un contrat de treize semaines, renouvelable si tout allait bien. Je voulais une clause qui me permettrait de tout annuler après cinq soirs de diffusion si ça n'allait pas. Je leur expliquai que je considérais ce talk-show comme un Boeing 747 et que, quoi qu'ils en disent, j'estimais disposer de cinq soirs et non pas de treize semaines pour le faire s'envoler. Si, au bout de cinq soirs, nous n'avions pas vraiment décollé, je ne désirais pas vivre le crash à l'antenne. Je refusais tout net de rester là avec une émission qui ne marchait pas. L'expérience de Jean-Pierre Coallier était suffisante. Son exemple était tout frais dans ma mémoire et je ne voulais pas vivre la même chose que lui. Je leur disais aussi qu'il ne servirait à rien de mettre de l'argent dans ce nouveau talk-show s'il ne fonctionnait pas après cinq soirs, et que ce serait aussi inutile d'engager de nouveaux recherchistes ou de nouveaux musiciens. Jean Bissonnette et moi étions sûrs d'avoir une bonne recette de talk-show. Personne ne pouvait prédire si ça marcherait ou non, mais la recette était complète. Il ne servirait donc à rien d'ajouter quoi que ce soit en cours de route si l'auditoire n'avait pas été conquis dès le premier vendredi après la première diffusion.

Je savais être convaincante, mais j'étais terrifiée. Je savais que je jouais gros, parce que ce qu'il est convenu d'appeler un *flop* à la télévision, c'est-à-dire une émission qui ne lève pas, tue un animateur et peut l'empêcher de revenir à l'écran longtemps ensuite. C'est ce qui était arrivé à Jean-Pierre Coallier après son année à *Ce soir Jean-Pierre*. On lui avait fait porter seul la responsabilité de l'échec. Il se retrouverait sans travail, alors que tous les autres qui avaient fait l'émission avec lui passeraient tout simplement à autre chose. Il faut toujours un bouc émissaire pour assumer un *flop*. Le plus souvent, c'est l'animateur, puisqu'il est le plus visible de tous. Il y a parfois des exceptions. On voit de temps en temps certains animateurs aller de *flop* en *flop* sans que jamais on paraisse s'en rendre compte en haut lieu. Je savais que ce ne serait pas mon cas. Avec l'expérience de toutes mes années de radio, je savais que je devais «performer» ou qu'on me dirait de retourner à mes chaudrons pour longtemps. J'avais conservé pendant ces années de radio le sentiment profond que je devais être meilleure que tous les autres tout le temps. Je n'avais peut-être pas tort de penser qu'on me demanderait la même chose à la télévision.

Plus la date fatidique de la première d'*Appelez-moi Lise* approchait, plus la tension montait. Vingt fois au moins, j'ai eu envie de tout abandonner. La bouchée me paraissait trop grosse. Souvent, j'avais l'impression désagréable d'être paralysée en regardant ce cirque gigantesque se mettre en place comme si je n'en faisais pas partie. J'étais allée visiter le lieu qu'on nous réservait aux Galeries d'Anjou et j'avais littéralement paniqué. Laurent me répétait que je devais rester calme, parce que se trouvaient autour de moi tous ceux que j'avais souhaité y voir : Jean Bissonnette à la réalisation, mes recherchistes habituelles, mes musiciens et mon ami Fauteux, qui allait bientôt commencer de son côté l'animation avec Guy Provost de l'émission *Feu vert*, qui remplacerait *Studio 11* pour l'année en cours. Si bien que nous allions être tous les deux à la radio le matin. Lui à Radio-Canada et moi à CKLM.

Quand j'y repense, je me dis qu'il fallait une sacrée santé pour envisager une telle somme de travail et une telle quantité de tension nerveuse chaque jour sans jamais vraiment décrocher. J'étais bien portante, la chance me souriait et j'étais follement amoureuse.

Lors d'une réunion de production, les recherchistes m'ont demandé si j'avais dressé une liste noire. Je n'ai pas compris tout de suite. Ils m'ont expliqué que je pouvais leur communiquer les noms des gens que je ne voulais pas interviewer. Je suis restée sans voix. Je n'avais jamais pensé que cela pouvait exister. J'ai répondu qu'il n'y avait strictement personne, puis j'ai hésité en disant qu'il valait sans doute mieux que je n'aie pas à faire d'entrevue avec mon ex-mari, que ce serait probablement déplacé. Ils ont ri et ont compris. Tout le monde a été surpris que la liste ne soit pas plus longue. Il n'y avait que trois ou quatre noms au total, dont ceux de Jean-Pierre Coallier et de Guy Provost, pour des raisons qui me paraissaient évidentes.

J'ai mis aussi beaucoup de temps à expliquer à Jean Bissonnette qu'une fois l'émission commencée je devenais «seul maître après Dieu» sur le plateau. Je voulais qu'il me reconnaisse la liberté d'allonger une entrevue si je la trouvais bonne ou si je n'avais pas le sentiment d'en avoir terminé avec mon invité, ou de la raccourcir si cela ne fonctionnait pas. Il devrait donc demeurer en alerte tout le temps et se tenir prêt à réagir avec ses caméras à mon moindre signal. Nous avions convenu que je pouvais demander à une caméra de nous montrer quelque chose qui se passait en studio mais que Jean ne pouvait voir, enfermé dans la salle de contrôle. La seule chose à laquelle je m'engageais, c'était de passer tous les invités et de ne jamais demander à l'un d'entre eux de revenir le lendemain. J'avais une immense confiance en Bissonnette. Nous nous percevions déjà parfaitement l'un l'autre, et, comme tous ceux qui avaient déjà travaillé avec lui, je voulais lui faire plaisir. C'est ce qu'il suscite chez ses collaborateurs. Tout le monde en donne toujours plus quand c'est pour Biss.

Il était inutile de revenir sur ce qui me semblait une erreur monumentale : l'installation de notre décor aux Galeries d'Anjou. Nous allions faire du direct différé, c'est-à-dire que nous allions enregistrer l'émission à dix-sept heures, mais sans pause ni retouche ou montage. Elle serait diffusée à vingt-trois heures intégralement, telle qu'elle avait été enregistrée. Je me souvenais encore des événements d'octobre 1970, avec leur violence, l'angoisse collective, la peur des lieux publics. Je me disais qu'il se pouvait bien qu'avec certains invités nous ayons des réactions de toutes sortes de la part du public présent. Je nous trouvais vulnérables. Je savais que la sécurité ne pouvait pas tout prévoir. Jacques Boulanger avait quelques ennuis au Complexe Desjardins. Des groupes utilisaient son émission, se présentant avec des pancartes pour faire passer leurs messages ou leurs revendications. Nous n'y échapperions probablement pas. Je m'inquiétais de ne pas pouvoir tenir le rythme d'une entrevue si je devais tout surveiller du coin de l'œil au cas ou quelqu'un déciderait de sauter les cordons de sécurité pour s'en prendre à un invité. Quel travail et quelle responsabilité ! Mais, là-dessus, la direction était sourde. Il fallait se rapprocher du peuple.

Du côté pratique, j'avais choisi de redevenir brune. Je ne savais pas quand je trouverais le temps d'aller chez le coiffeur, travaillant à la radio tous les matins et à la télévision tous les soirs. Le style décontracté n'était pas tellement à la mode à la télévision en 1972. La robe longue, costume qu'on me destinait, imposait un genre avec lequel je devrais bien vivre. Début septembre, les dés étaient jetés. *Appelez-moi Lise* allait devenir mon terrain de jeu.

7

Mon deuxième souffle

Ma vie paraissait encore une fois toute tracée d'avance. Je me levais tôt chaque matin, déjeunais avec ma famille rapidement, puis filais à CKLM, dont les studios étaient alors situés rue Sainte-Catherine Ouest, pas très loin de la rue Stanley. J'y retrouvais des camarades de travail comme Serge Laprade et Roger Lebel, qui ne savait pas encore quel extraordinaire talent de comédien il avait. Il admirait Jean Duceppe au point d'en parler tout le temps. Il y avait aussi Alexandre Dumas, qui faisait ses premières armes à la salle des nouvelles, et Thérèse David, aujourd'hui à TQS, et qui tenait à elle seule la discothèque de la station.

Je sautais ensuite dans ma voiture pour me diriger vers les Galeries d'Anjou, où j'étais attendue vers treize heures pour la rencontre avec les recherchistes et la réunion de production avec le réalisateur. Il me fallait ensuite passer au maquillage, m'habiller, et être sur le plateau pour une générale vers quinze heures, puisque nous avions des musiciens et un chanteur invité chaque jour. À dix-sept heures, on commençait l'enregistrement, qui se terminait à dix-huit heures. Je rentrais ensuite à la maison dans la cohue du boulevard Métropolitain, et je retrouvais Laurent et les enfants. Nous mangions tous ensemble vers dix-neuf heures. Bien sûr, je tenais à voir l'émission à vingt-trois heures, ce qui fait que, comme tout le Québec, j'ai commencé à me coucher à minuit. Il fallait une sacrée discipline pour tenir le coup et être toujours de bonne humeur. Il m'est arrivé comme à tout le monde de m'endormir en regardant l'émission.

Heureusement, Laurent était là. L'acclimatation à la vie commune s'était faite en douceur. Mes enfants s'étaient habitués à la présence de cet autre homme qui n'avait jamais prétendu remplacer leur père mais qui leur offrait sa bonne volonté, son extraordinaire patience et sa joie de vivre. Par contre, Laurent souffrait de ne pas voir ses enfants plus souvent. La rupture avait été plus douloureuse qu'il ne l'avait souhaité de son côté et les visites des enfants se faisaient rares. Quand nous en parlions ensemble, il me répétait qu'il comptait beaucoup sur le fait que ses enfants comprendraient mieux ce qui s'était produit quand ils seraient plus grands et qu'à ce moment-là ils reviendraient vers lui. Quand il arrivait qu'ils étaient à la maison, je sentais, malgré tous mes efforts, leur résistance à la tendresse que je leur offrais et je devinais qu'ils n'avaient pas une très haute opinion de moi. Ma notoriété, de plus, ne facilitait pas les choses. Je ne savais pas vraiment comment les approcher. Ils étaient fragiles et ma marge de manœuvre était très mince. J'étais l'étrangère à mon tour, la voleuse, la briseuse de foyer. Ces mots qui n'étaient jamais dits mais qui étaient très présents me brisaient le cœur chaque fois que je voyais ces enfants. Il semblait évident que le rêve que Laurent et moi avions caressé d'avoir une grande famille, avec sept enfants, ne se réaliserait pas. Il fallait nous rendre à l'évidence.

Ma seule consolation était de savoir que notre relation n'était pas une passade. Nous avions eu raison de tout nous dire avant de vivre ensemble, d'envisager le meilleur qui pouvait nous arriver, mais aussi le pire. Nous étions pratiquement invulnérables comme couple, et nous espérions durer longtemps. C'était là notre vœu le plus cher.

Nous n'avions pas échangé un tas de promesses, mais nous avions conclu qu'une fois que nous nous étions apprivoisés chacun de nous avait la responsabilité de veiller au bien-être émotif de l'autre. Cet engagement ne devait pratiquement jamais être remis en question à travers le temps.

Malgré l'annonce que les journaux allaient en faire à plusieurs reprises, nous n'avons jamais envisagé sérieusement de nous marier. La blague classique s'appliquait parfaitement à nous : nous nous aimions trop pour nous marier.

J'avais enfin trouvé ce que j'avais toujours souhaité chez un homme : Laurent avait le don de simplifier les choses au lieu de les compliquer. La vie avec lui était facile et nous désirions passer le plus de temps possible ensemble sans jamais nous marcher sur les pieds. Nous voulions respecter mutuellement notre liberté et nous faire confiance.

8

Le Boeing s'est envolé

Le premier jour, Jean Bissonnette m'avait glissé à l'oreille : «Tu fais ce que tu veux, je te suis.» C'est ce qui allait assurer le succès de cette émission : la complicité entre tous ceux qui la faisaient, du petit dernier jusqu'à Bissonnette. On le surnommait «popa» ou «le roi de la répette», tant il tenait à faire répéter l'orchestre, les caméras, les mouvements, les enchaînements. Je crois qu'il aurait été tout à fait en sécurité si on avait pu répéter les entrevues de la première à la dernière question, mais il avait aussi accepté que la spontanéité, l'inattendu et l'imprévisible constituaient des ingrédients essentiels à ce que nous allions faire ensemble.

Nous avions peur, mais raisonnablement. Il faut, dans ce métier, une certaine dose d'audace et de confiance en soi, sans laquelle on peut demeurer complètement paralysé.

Le premier invité d'*Appelez-moi Lise* fut le célèbre comédien Paul Dupuis. Je ne l'avais jamais interviewé auparavant. Il avait été l'un des comédiens importants des *Belles Histoires des pays d'en haut*, où il interprétait le rôle du journaliste Arthur Buies. Il avait connu une belle carrière au théâtre et au cinéma. Je savais qu'il avait la réputation d'être froid et difficile, et que, s'il acceptait de sortir de sa demi-retraite pour cette entrevue, il fallait s'attendre à ce qu'il affiche cette attitude un peu chiante qu'il avait adoptée au cours des années. C'était un défi intéressant. Une fois sur place, aux Galeries d'Anjou, je réalisai rapidement que ni Paul Dupuis ni aucun des autres invités ne me faisait vraiment peur. Par contre, j'étais totalement terrifiée par l'incessant bruit de la foule autour de moi. Comment allais-je pouvoir me concentrer avec ce va-et-vient continuel, ces cris, ces courses folles d'adolescents tapageurs autour du décor, et ces pleurs de bébés qui n'arrêtaient pratiquement jamais. Je n'étais pas en sécurité. Nous avions beau affirmer le contraire, nous savions que n'importe quel énergumène pouvait semer la pagaille dans notre étrange studio ouvert sur trois côtés, avec un simple pétard à cinq cents. Je commençai à en parler à l'équipe dès la première émission.

Ce jour-là, tout se déroula plutôt bien, sans incident déplaisant. Toute l'équipe devait cependant reconnaître que c'était un tour de force de travailler avec autant de bruit autour de nous.

Le vendredi suivant la première, je savais que j'avais gagné mon pari. Les critiques se montraient largement favorables et la réaction du public nous permettait de penser que le Boeing avait décollé en bout de piste.

Déjà, quand j'entrais aux Galeries d'Anjou le midi, beaucoup de gens s'y trouvaient pour me lancer : «Allô Lise.» Des enfants couraient autour de moi jusqu'à l'escalier conduisant aux locaux de l'émission. Je n'imaginais pas à quel point cette émission allait transformer ma vie, et, si je m'étais efforcée de penser à tout ce qui pouvait arriver, j'avais complètement oublié de mesurer ce que la popularité pouvait signifier. J'avais pu travailler pendant sept ans à la radio sans jamais être vraiment reconnue dans la rue. Tout à coup, il avait suffi de cinq émissions de télévision pour chambarder ma vie privée, à laquelle je tenais tant.

Je réalisai dès les premières semaines d'*Appelez-moi Lise* que j'allais devenir «populaire». J'avais côtoyé des gens connus comme Guy Provost, par exemple, et combien d'autres vedettes que j'avais eu à interviewer au cours des années. Je savais ce que ça pouvait vouloir dire. J'avais vu Guy Provost aux prises avec des admiratrices qui lui rendaient parfois la vie impossible. Elles le pourchassaient de leurs assiduités, lui écrivaient des lettres complètement folles et lui envoyaient des photos d'elles dans la plus petite tenue, quand ce n'était pas toutes nues, en le suppliant de leur accorder un rendez-vous.

Je savais le sort que les journaux réservaient à des femmes comme Dominique Michel et Denise Filiatrault, sur lesquelles on publiait des articles à sensation sans se demander si elles en souffraient. Je connaissais le sort qu'on faisait à Ginette Reno et à Michèle Richard, et je savais que je ne voulais pas devenir «propriété publique» à mon tour.

Laurent possédait une théorie sur la question. Il affirmait que, quand un journal s'attaquait à quelqu'un, cette personne ne devait pas répondre. Ainsi, l'attaque ne durait qu'une semaine. Autrement, il fallait une autre semaine pour la réponse et une troisième pour que le journal en question ait le dernier mot. Car le journal avait toujours le dernier mot. Je me rangeai à cette théorie. Je décidai que je choisirais toujours les journalistes à qui j'accorderais des entrevues. Je dirais la vérité, au meilleur de ma connaissance, quand on me poserait des questions. Je serais aussi vraie et aussi franche que possible, mais, une fois l'entrevue publiée, je ne dirais plus rien. Je décidai aussi que j'étais la seule à avoir accepté cette vie publique, et que je n'avais pas à la faire subir à Laurent ni à mes enfants.

Après en avoir discuté avec eux, il fut décidé qu'ils ne feraient jamais de photographies avec moi et que je respecterais totalement leur sphère privée. Aucun journaliste n'entrerait dans notre maison. C'était la moindre des choses. Pour les enfants, il n'y eut jamais de concession. Pour Laurent, les choses furent souvent plus difficiles à négocier, car les journaux s'amusaient à nous marier et à nous démarier régulièrement. Nous avons persévéré cependant et nous n'avons jamais répondu à personne sur le sujet. Ce qu'on a pu inventer sur notre compte nous a souvent paru complètement démentiel.

Quant à ce qu'on a écrit sur moi pendant ces années, je n'en reviens toujours pas. On cherchait à percer un «mystère», à détruire un «mythe», à dévoiler la «vraie Lise Payette», alors qu'à ma connaissance rien de tout cela n'existait. On m'aimait ou on me détestait, et rien de ce que je pouvais dire ou faire n'aurait changé quoi que ce soit à la situation.

Ce n'est qu'en décembre 1972 qu'un événement sans conséquences se produisit à *Appelez-moi Lise*, événement qui devait hélas me donner raison quant à la sécurité entourant notre lieu d'enregistrement. Ce jour-là, Jérôme Choquette, ministre de la Justice du Québec, était mon invité. Pendant l'entrevue, des enfants qui couraient autour du studio au beau milieu du centre commercial lancèrent des objets dans notre direction. Ce n'étaient que des bonbons, comme nous devions le découvrir par la suite. Sur le coup, je sentis comme un frisson autour de moi. Je m'obligeai à continuer l'entrevue, comme s'il ne s'était rien passé. Dès que l'émission fut terminée, je fis réaliser à tout le monde qu'on pouvait nous lancer n'importe quoi de cette façon et que l'incident pouvait en suggérer l'idée à n'importe qui d'autre.

Un autre jour, entrant aux Galeries, j'entendis un agent de sécurité crier : «Couchez-vous ! Couchez-vous !» Il me faisait signe de m'allonger par terre et je ne savais pas pourquoi. Il me fallut quelques minutes pour me rendre compte que d'autres personnes étaient allongées sur le sol autour de moi et je fis la même chose. Après une dizaine de minutes, qui parurent interminables, nous apprîmes qu'un vol à main armée venait d'être commis quelque part dans le centre, que des coups de feu avaient été tirés et qu'on craignait que les voleurs ne se soient dirigés vers notre couloir pour trouver une sortie. On finit par nous permettre de nous relever, et j'arrivai au bureau de l'émission en disant que ce n'était pas là une bonne façon de travailler.

À ce moment-là, la direction comprit que l'on avait intérêt à faire ce genre d'émission dans un studio. Non seulement la sécurité en serait mieux garantie, mais la qualité en serait bien meilleure. Nous nous retrouvâmes donc au studio 44 dès la fin janvier 1973 et nous y restâmes, sauf pour des événements spéciaux, jusqu'à la fin des émissions, trois ans plus tard. Ce fut un véritable soulagement pour toute l'équipe.

Une des dernières entrevues que j'ai faites aux Galeries d'Anjou fut avec Me Raymond Daoust, un avocat qui représentait souvent des membres connus de la mafia montréalaise. L'une de mes dernières questions au cours de cette entrevue avait été : «Vous le connaissez sûrement… Qui est le parrain actuellement à Montréal?» Il m'avait regardée, complètement figé, et il m'avait répondu : «Vous ne voulez pas que je réponde à ça? Pas ici…!»

Il est vrai qu'à cette époque la mafia était une société moins connue qu'aujourd'hui, plus secrète et plus mystérieuse aussi, et qu'elle ne servait pas encore de toile de fond pour certaines émissions dramatiques de fiction à la télévision. Me Daoust m'avait confié après l'entrevue que, s'il m'avait répondu, il aurait eu peur de ne pas sortir vivant de ce centre d'achat. Parlait-il sérieusement? Je n'en sais rien. Le studio 44 m'apparaissait comme un lieu plus agréable pour faire une émission quotidienne. Je n'avais pas tort.

9

La famiglia

Nous formions une équipe très unie à *Appelez-moi Lise*. Nous venions presque tous de l'émission de radio *Studio 11*. Ce n'était pas une grosse équipe pour une émission de télévision, mais nous nous faisions entièrement confiance. C'est le secret du quotidien aussi bien à la radio qu'à la télévision, car, si la confiance ne règne pas, rien ne va plus. Les recherchistes disposaient d'une très grande autonomie parce qu'ils étaient tous très qualifiés. Je travaillais toujours avec Michèle Verner et Louise Jasmin, qui constituaient ma base. Il y avait aussi Francine Grimaldi, qui couvrait la partie show-business de l'émission, et André Rufiange, grâce à qui nous allions faire une percée du côté des sports. Sans eux, l'émission ne se serait pas faite.

Je pouvais toujours compter sur la bonne humeur et l'appui indéfectible de mon ami Jacques Fauteux. D'humeur toujours égale, il avait des tonnes de bonne volonté. Quant à «mon beau François Cousineau», il était pratiquement au zénith de sa carrière et son talent constituait un atout pour l'émission.

71

On ne me remettait la liste des invités, avec le matériel de recherche à lire, que la veille de l'émission, ou même parfois en début d'après-midi, quelques heures avant l'émission, s'il y avait eu des retards. Je lisais tout, mais je ne notais que quelques mots comme aide-mémoire, moins que rien, que je n'utilisais pas toujours, d'ailleurs. Je savais que les meilleures entrevues étaient toujours celles au cours desquelles on écoutait les réponses. Les questions suivantes venaient toutes seules. Il n'y avait rien de plus mauvais que des questions préparées à l'avance ce qu'on se croyait obligé de poser à tout prix, au risque même de laisser passer «la» réponse qui pourrait faire toute la différence. Interviewer, c'est d'abord écouter. C'est surtout écouter, toujours écouter.

Beaucoup de gens ont pensé que les textes d'*Appelez-moi Lise* étaient écrits d'avance. On m'a souvent posé la question. On a pensé que nous avions d'excellents scripteurs qui écrivaient toutes les questions et toutes les présentations. Rien n'est plus faux. Quand Jacques Fauteux se lançait dans un de ses fameux monologues — je me souviens en particulier de celui qu'il a fait sur le service des incendies à Radio-Canada —, il en avait écrit le texte. Tout le reste était toujours improvisé.

Le rôle de Jacques à *Appelez-moi Lise* a beaucoup fait jaser pendant trois ans. On m'a souvent accusée de ne pas le laisser parler. C'était ignorer que tout était très clair depuis le début entre nous et avec l'équipe. Jean Bissonnette avait expliqué la fonction de Jacques à la journaliste Christiane Berthiaume au cours d'une entrevue : «Il sera comme un *sounding board*. Le talk-show est avant tout celui de Lise Payette. Le coanimateur a sa place comme complice, il joue la roue de secours. Il est là pour faire ce que l'autre ne peut pas faire. Se prendre au poignet avec le géant Ferré, par exemple…»

J'avais toujours dit, pour ma part, que, contrairement à ce qu'on pouvait penser, Jacques Fauteux était très important pour moi comme animatrice. Il était vraiment ma bouée de sauvetage. Comme, de plus, c'était le camarade le plus exquis qu'on puisse imaginer, le travail avec lui a toujours été extrêmement facile.

Jean Bissonnette resta le seul réalisateur de l'émission pendant presque toute la première année. Cela eut pour effet de nous lier encore plus les uns aux autres. C'était un réalisateur exigeant qui nous obligeait chaque jour à répéter des gestes et des mouvements de caméra qui étaient devenus une seconde nature pour toute l'équipe. On se pliait surtout à cette exigence en se disant qu'il savait sûrement ce qu'il faisait. Il avait un sens aigu du professionnalisme et il avait horreur du slogan dont on disait qu'il était de plus en plus souvent à l'honneur à Radio-Canada : «C'est assez bon, ça va faire.» Jamais il ne serait venu à l'esprit de qui que ce soit de contester l'autorité de Jean Bissonnette, son savoir-faire, son leadership et sa compétence. Il était toujours d'humeur égale et il avait ce sourire radieux qui nous donnait envie de nous dépasser, pour lui d'abord, et pour le public ensuite. Il n'était pas avare de ses encouragements après chaque émission. Il se voulait un travailleur de l'ombre. Il ne tentait jamais de se mettre en vedette et il estimait que son rôle était de faciliter au maximum le travail de l'animateur qui allait risquer sa tête devant les caméras. Il aimait ses animateurs comme il aimait les comédiens, et il le disait. Il respectait tous ceux qui travaillaient avec lui et il adorait la télévision. On a beau dire, ce n'était pas tellement courant. C'est pourquoi tant d'artistes ont considéré comme un privilège de travailler avec Jean Bissonnette pendant si longtemps. Et comme un honneur. Surtout qu'on ne peut pas en dire autant de tous les réalisateurs. Certains ne se privaient pas d'avouer qu'ils détestaient la télévision, ne la regardaient jamais et préféraient écouter de la musique classique quand ils rentraient chez eux.

Jean Bissonnette avait songé à quitter Radio-Canada quand on lui avait proposé de faire *Appelez-moi Lise*. Il venait de réaliser un long métrage et il avait envie de faire du cinéma. Il affirmait être resté parce que le défi était intéressant. Nous avons tous eu le cœur brisé quand il nous a abandonnés après que le succès de l'émission eut été assuré. Il avait évidemment pris soin de préparer une relève. Nous allions travailler avec Jean-Paul Leclair et Suzanne Mercure, ainsi que Pierre Monette et beaucoup d'autres encore. Jusqu'à ce qu'on ait le sentiment que l'émission était devenue un fourre-tout où des réalisateurs venaient faire leurs classes. Le climat ne fut plus jamais le même après le départ de Jean, malgré la bonne volonté de ceux qui le suivirent. Même si l'émission continuait toujours à progresser dans les cotes d'écoute, le beau et vrai bonheur du début n'y était plus. La complicité n'était plus la même, et ce, malgré nos efforts à tous.

Dans cette entrevue accordée à Christiane Berthiaume, Jean avait dit : «Je ne crois pas qu'un même animateur puisse travailler avec cinq réalisateurs différents.» Il ne savait peut-être pas à quel point il avait raison et que sa déclaration allait devenir une sorte de prophétie.

Dès les premiers mois, nous avions atteint la cote d'écoute désirée. Nous en étions très fiers. Nous étions toutefois seuls à l'antenne à vingt-trois heures. Il était évident que la concurrence n'allait pas tarder à réagir.

Ce dont nous étions particulièrement fiers, c'était d'avoir «créé» une heure d'écoute qui n'existait pas. Tous les spécialistes savent à quel point il est difficile de créer une heure de télévision en dehors des horaires habituels. C'est un véritable tour de force d'allonger la journée de télévision le matin ou le soir. Le Québec tout entier se couchait une heure plus tard à cause d'*Appelez-moi Lise*. Ce n'était pas rien.

De plus, on entendait dire que le contenu de l'émission devenait souvent le premier sujet de conversation du lendemain dans les bureaux et les cafétérias. Nous n'avions vraiment aucune raison de nous plaindre.

Nous avions quitté les Galeries d'Anjou pour un studio plus confortable. Nous avions réussi à imposer notre émission comme celle à laquelle chaque artiste devait passer, et nous exigions la primeur quand il s'agissait d'étrangers de passage au Québec. Nous avions vite trouvé notre vitesse de croisière. Nous préparions le Concours du plus bel homme avec fièvre. Tout allait donc pour le mieux.

J'avais toujours une tête sur les épaules. Heureusement, je faisais le constat que le succès ne me transformait pas en un monstre désagréable et que je pouvais continuer d'avoir une vie privée à peu près raisonnable. Je savais que beaucoup de gens au Québec n'aimaient pas voir la tête d'un des leurs dépasser du lot. Je savais qu'il y avait de bonnes chances qu'on essaie de me la couper. Je n'étais pas sans savoir que le succès, ici, se paye, et je savais qu'en prenant autant de place à la télévision j'allais me faire autant d'ennemis que d'amis. La nature humaine étant ce qu'elle est, je savais que l'envie est la mère de tous les vices et que j'allais éventuellement y goûter. A-t-on idée de réussir au Québec? La critique veillerait certainement à ce que le succès ne me monte jamais à la tête. Plusieurs se sont investis de la mission de veiller à mon humilité.

Mais, en attendant, mon bonheur était total. J'étais assez mûre pour savoir ce que je disais et jusqu'où je pouvais aller. J'avais une culture générale qui me permettait de passer, à l'intérieur de la même émission, d'un compositeur de musique contemporaine internationalement reconnu à Manda Parent ou au cardinal Léger, avec le même plaisir et le même désir de connaître et de faire partager mon goût de la découverte. Chaque être humain que j'ai rencontré m'a fait l'immense cadeau de son amitié pendant quelques minutes. La connivence était presque toujours au rendez-vous.

10

Vivre avec la critique ou mourir

Dès le lendemain de la première d'*Appelez-moi Lise*, André Béliveau, sous le titre «Ne m'appelez pas encore Lise…», écrivit dans *La Presse* du 19 septembre l972, en parlant de l'animatrice :

> *Douée d'une technique impeccable, d'un bon jugement, d'un sens de l'humour et de la répartie particulièrement rare, en même temps que de sensibilité, de délicatesse et du sens de la mesure, elle est devenue une spécialiste de l'interview éclair à la fois «humaine», «signifiante» et drôle. Elle sait bousculer ses invités tout en les respectant, tirer d'eux autre chose que des banalités tout en n'outrepassant pas ou si peu les limites de leur intimité. Habituée à travailler en public et avec le public, elle sait mettre les rieurs de son côté, mais elle sait aussi attendrir et rassurer. Virtuose de la question «vache», elle sait la réserver à ceux qui savent se défendre, ou devraient le savoir.*

C'était flatteur. Je dois avouer que je fus enchantée d'être si bien comprise aussi rapidement. L'opinion d'André Béliveau n'était pas partagée cependant par Paul Warren, professeur à l'université Laval à l'époque, qui, dans un texte publié sous la rubrique «Libre opinion», écrivait dans *Le Devoir* du 7 décembre 1973, sous le titre «Le phénomène Lise Paillette» (sic) :

> *Le phénomène «Lise Paillette» est l'expression parfaite de l'aliénation de notre société québécoise. Dans un pays d'hommes libres,* Appelez-moi Lise *n'existerait pas. Il y a quelque chose de malsain dans le comportement démagogique de cette femme qui charrie, cinq fois la semaine, les clichés et les stéréotypes les plus primaires de l'idéologie dominante. Lise Paillette est le modèle type de la déshabilleuse sadico-masochiste. Ses invités sont progressivement acculés au rituel du strip-tease. S'ils résistent au voyeurisme de Lise, ils risquent fort d'être violés. Jacques, lui, ne résiste jamais. C'est un strip-teaseur professionnel. Il est de la race des prostitués génétiques.*

M. Warren continuait sur le même ton et terminait par ce paragraphe :

> Appelez-moi Lise *est profondément nocif. Cette émission contribue à perpétuer dans le peuple les mythes les plus éculés de la culture de masse. Lise Paillette est à la télévision ce que Denis Héroux est au cinéma et ce que Bourassa est à la politique.*

Et vlan !

Une semaine plus tard, dans une lettre ouverte au *Devoir*, Carolle Veillette répondait à M. Warren après l'avoir vilipendé :

J'oubliais le «bon-peuple-téléspectateur-aliéné»! On en a pris un bon coup avec vous... Et si on est à plaindre, ce n'est pas à cause de Lise Payette mais bien de ce que vous dites de nous... Remarquez que je ne vous inclus pas dans ce «nous». Vous êtes sûrement trop [bien] élevé pour daigner jeter un regard sur la masse qui, tous les soirs, pendant une heure, se pourlèche les babines en guettant avec avidité les mauvais coups que Lise Payette portera à ses invités. Voyons! Comme si nous étions des sadiques se repaissant à la vue des mauvais coups du sort portés envers les autres...

Cette dame parlait aussi de la «façon dégradante» que ce monsieur avait «de parler du peuple» et elle croyait lire le dédain entre ses lignes. Elle terminait en écrivant ceci :

Qui n'a pas rêvé, un jour, de voir un homme comme vous se faire joliment rabaisser le caquet (comme on dit dans le peuple) par quelqu'un qui était bien placé pour le faire?!!

Ailleurs, dans *Le Maclean* de mai 1973, Pierre de Bellefeuille écrivait à son tour, sous le titre : «Appelez-moi monstre sacré» :

L'événement de la saison de télévision, c'est Lise Payette. Cette grosse et belle femme possède le don de présence à un degré rare. Sa personnalité remplit l'image, et ce n'est pas là une mauvaise blague sur sa taille. Elle prend ses invités sous son aile et crée l'ambiance qui leur permet de passer la rampe avec elle. Don naturel ou art consommé? Sans doute les deux à la fois, à cette différence près que l'un perce l'écran tandis que l'autre ne transparaît pas. [...]

Le style de Lise Payette est direct. Elle est courtoise, chaleureuse même, mais ne prend pas de détours. S'il y a chez l'invité quelque supercherie, une fêlure à son armure de célébrité, Lise Payette ne se fait pas complice. Elle laisse à l'invité assez de corde pour se pendre, s'il y tient. Elle démystifie les vedettes, mais pour peu que celles-ci acceptent la règle de la simplicité et de l'honnêteté, elles en sortent grandies. Sans effort, Lise Payette joue à merveille le rôle d'animateur, dont un aspect fondamental consiste à se faire le porte-parole des spectateurs. [...]

Lise Payette est télégénique, mais sans apprêt. En personne, elle est la même qu'à l'écran : très féminine, sans mièvrerie (l'allusion, cette fois, est à Nicole Germain). Elle reste féminine quand elle endosse l'uniforme de Ken Dryden devant le filet des Canadiens. Et puis il y a chez elle un petit côté féministe. Elle met les hommes sur la défensive tout en leur portant les attentions qui rassurent. Son concours du plus bel homme du Canada est une démonstration géniale de la diversité des niveaux de perception. Tout le monde prend pour du comptant ce vaste machin qui dure pendant des mois et mobilise la participation de centaines de milliers de spectatrices. Mais en même temps, au plan subliminal de perception, se crée le culte de l'homme-objet, douce revanche de la femme. En ces temps d'«unisexe» n'est-ce pas, les concours de beauté sont aussi bons pour les hommes que pour les femmes, et si le ridicule point, il n'emporte pas toute la gloire.

Je suis tenté de me dresser sur mes ergots et de dire à la féministe Lise Payette que l'homme-objet, ce

n'est pas une solution, même si la blague est bonne.
Mais le sphinx sait trop bien se dissimuler derrière son
sourire de monstre sacré.

Dans d'autres journaux, les «petits», comme on les appelait, on annonçait que j'allais me marier, puis, la semaine suivante, que j'avais changé d'idée et que je renonçais au mariage. On clamait que j'étais la femme la plus libre du Québec, quand ce n'était pas la femme la plus riche. On prétendait que j'essayais plusieurs régimes pour perdre du poids, et Michel Girouard se faisait une spécialité de me descendre en flammes presque chaque semaine. Je ne lisais pratiquement rien de tout cela, sur les bons conseils de Jean Bissonnette.

On me prêtait aussi un sale caractère, qui aurait, disait-on, rendu mon entourage extrêmement malheureux. Ce n'était cependant pas le cas. Le tollé était suffisamment important pour qu'André Rufiange, recherchiste de l'émission, se sente un jour obligé de prendre ma défense dans sa chronique du 31 mai 1974.

Il s'agit de Lise Payette (parler d'elle, bien sûr,
c'est parler d'Appelez-moi Lise.
Vous avez certes remarqué que Lise, cette année,
a été très controversée. Le concert de louanges de la
première année de Lise à la télé a donné suite, au
cours de la deuxième année, à des analyses plus
profondes sur l'essence même de l'émission. Et Lise,
elle-même, a souvent fait le sujet de critiques assez
sévères. Je dirais même que certains de mes confrères,
à l'occasion, lui ont asséné des coups en bas de la
ceinture.

Or, ce que j'ai admiré d'elle au cours de cette deuxième saison, c'est qu'elle a su encaisser ces coups — je parle de ceux qui étaient illégaux — sans mot dire. Et sans maudire non plus.

Jamais, de la part de Lise, n'a-t-on entendu de déclarations fracassantes. Jamais n'est-elle tombée dans le piège que lui tendaient ceux qui, soudain, s'étaient improvisés dénigreurs. Un mur de silence elle fut. Nous qui vivions constamment dans son entourage, nous nous disions sans cesse, en catimini : « Un jour, ça va éclater ! »

Non. Ça n'a pas éclaté... Jamais ne nous a-t-elle même glissé un seul mot, l'après-midi, de ce qu'elle avait probablement lu comme tout le monde le matin. C'est ça que j'ai admiré d'elle. Je vous prie de me croire — je suis dans le métier depuis pas mal d'années —, faut l'faire. Très rares sont les artistes qui ont cette carapace intellectuelle. Lise l'a.

Et elle a des raisons de l'avoir...

Des raisons ? Quelles raisons ?

Technicienne des mots, maître de la question et consciente du pouvoir de son sourire engageant, Lise Payette pouvait fort bien habiter son soi d'une espèce de tranquillité : son show n'avait jamais été si écouté !

Les sondages officiels, en effet, démontraient qu'*Appelez-moi Lise,* qui attirait en moyenne quelque 900 000 téléspectateurs lors de la première année, allait en chercher PLUS D'UN MILLION tous les soirs lors de la deuxième. Alors !

Lise savait ça. Elle savait donc que le monde ordinaire l'aimait; never mind *les critiqueux... Lise ?* C'est quéquin ! Et ce n'est pas parce que je travaille

avec elle que je le clame. J'ai souventes fois démis-
sionné d'émissions à succès[1]...

En fait je n'ai pris connaissance de tout cela que quand l'émission *Appelez-moi Lise* fut terminée depuis un bon moment. Mon amie Louise Jasmin avait tout conservé et j'avais alors le recul nécessaire pour en rire. On a voulu m'étudier sous tous les angles, essayer de comprendre ce qui faisait cette popularité étrange. On m'avait portée aux nues et on m'avait traînée dans la boue avec presque la même régularité. Heureusement que mon entourage veillait à ce que je puisse travailler tranquille. Cela m'avait permis de vivre ces années sans me faire une grosse tête et surtout sans me faire démolir chaque fois qu'un journaliste décidait de se défouler sur moi.

Rufiange, qui était le grand responsable de mes in-cursions dans le merveilleux monde du sport, m'avait aussi consacré un article dans *Actualité* d'avril 1973, dont voici quelques extraits :

> *Ce qu'il y a de bien, avec Lise Payette, c'est qu'elle plaît à tous les publics : les riches et les pauvres, les bleus et les rouges, les fédéralistes et les indépendantistes, les intellectuels et les gens très moyens côté intellectuel, les sportifs et les... enfin, tout le monde !*
>
> *Elle réussit, avec son air de rien, à plaire à tout l'éventail des citoyens que nous sommes. Faut l'faire ! Et elle le fait. Comment y parvient-elle ? Je vais essayer de vous l'expliquer. Suivez-moi.*

---

1. *Rufi sur l'onde, Les Couche-tard, Ce soir ou jamais, Les Joyeux Troubadours,* etc.

Lise est à peu près la même personne, hors du champ des caméras, qu'elle est à la télévision. Même assurance, même curiosité, même spontanéité, même sourire et même ricanement facile. Mais...

Car il y a un mais.

Et cette conjonction amène un aspect de sa personnalité que je vais vous révéler, tenez-vous bien : dans sa petite vie de tous les jours, Lise parle peu! Du moins ne parle-t-elle pas beaucoup. Elle écoute, elle observe et elle ne cherche pas à briller.

En août dernier, quand j'ai signé mon contrat avec Radio-Canada à titre de recherchiste pour la future émission Appelez-moi Lise, *je ne connaissais pas Mme Payette. Enfin, je ne la connaissais pas vraiment puisque je ne l'avais rencontrée qu'une fois, il y avait longtemps, alors qu'elle animait* Place aux femmes, *avec Guy Provost, et que j'avais été pendant une dizaine de minutes son invité.*

Toujours est-il que je me suis dit, en août dernier : «Dans tes rapports avec Mme Payette, mon bonhomme, tu ne réussiras jamais à placer un mot. Et si tu insistes pour le faire, ton chien est mort, elle ne t'aimera pas!» Je m'étais donc mentalement conditionné à travailler toute une saison (une saison de télé, bien sûr, c'est-à-dire une saison de 39 semaines) pour une vedette devant qui je n'aurais jamais à ouvrir la bouche, faute d'occasions!

Je la connaissais très mal, merci... J'ai appris depuis, à la côtoyer tous les jours, et comme je vous le disais en substance plus haut, Lise adore écouter les autres. Avec son éternel sourire en coin et son évident désir de cerner son interlocuteur, surtout si son interlocuteur est à son emploi ou, tout au moins, à l'emploi d'un show dont elle est la vedette. Car elle a une conscience professionnelle inouïe !

Et, plus loin :

Lise a un caractère en or. Quoique vous devez bien vous garder de lui marcher sur les pieds. Alors, elle peut devenir tigresse pour un moment ! Je l'ai déjà vue lancer ses souliers contre le mur, sans toutefois expliquer son petit moment de colère. Gageons qu'elle avait noté que le travail de l'un de ses collaborateurs, ce jour-là, avait été mal fait.

C'est vrai que c'était la seule chose qui me mettait vraiment en colère. Pourtant, même dans ces cas-là, je n'engueulais jamais personne. Je ne me le serais pas permis. Mon mouvement d'impatience prenait une autre forme, comme le soulignait Rufiange. Cela n'arrivait pas très souvent. J'étais plutôt portée à dire que l'émission quotidienne, quand elle était terminée, ne pouvait plus être changée. Il valait mieux travailler sur celle du lendemain que de perdre son temps à déplorer ce qui avait été mal fait.

11

Le merveilleux monde du hockey

Que ce soit bien clair : une femme ne pouvait s'aventurer dans le merveilleux monde du sport sans risquer de se faire «ramasser» par tous ceux qui prétendaient que ce monde appartenait aux hommes en exclusivité. C'était encore beaucoup plus vrai dans les années 70 que maintenant, même si, encore aujourd'hui, le sport demeure un domaine très réservé. Dans mon cas, je n'avais pas à tricher car j'aimais sincèrement le hockey.

Depuis mon adolescence alors que j'écoutais le hockey à la radio, j'étais une fervente de ce sport, que je connaissais bien. L'époque était riche en jeunes Québécois devenus des vedettes formidables que les adolescents prenaient comme modèles. Le Québec formait une véritable pépinière qui fournissait des talents aux autres équipes et l'argent n'avait pas encore tout corrompu. Je fus enchantée de voir défiler ces joueurs à *Appelez-moi Lise* dans leurs plus beaux costumes, avec leur timidité sous le bras, leur trac, leur bonne volonté et leur désir de faire plaisir à leur public. Je trouvais satisfaction à les mettre en valeur, en échange d'un peu de sincérité de leur part, ou pour une participation comme chanteur ou musicien. Ils y sont tous passés : Pierre Bouchard, Serge Savard, Jean-Claude Tremblay, Guy Lapointe, Henri Richard, Guy Lafleur, Yvan Cournoyer, Jacques Lemaire, Ken Dryden et les autres. Je les aimais beaucoup et je crois qu'ils me le rendaient bien.

Je n'ai jamais su si le coup avait été préparé avec André Rufiange, mais, un soir, Lemaire me dit que ses coéquipiers et lui en avaient assez de venir faire mon métier alors que moi je ne faisais jamais le leur, ou quelque chose du genre. Il m'invita donc à remplacer le gardien de buts lors d'un exercice du Canadien. Mettez-vous à ma place ! J'ai répondu oui tout de suite, sans voir plus loin que le bout de mon nez. Je ne savais pas dans quoi je venais de m'embarquer.

Au jour dit, Jean Bissonnette nous avait demandé, à Jacques, à François et à moi, d'être au Forum à neuf heures le matin. Il prévoyait qu'il faudrait une bonne demi-heure pour tourner les trois ou quatre minutes que nous garderions pour l'ouverture de l'émission, quelques jours plus tard. Vêtue de l'uniforme de Michel Plasse (celui de Dryden aurait été beaucoup trop long), je suais déjà à grosses gouttes avant même d'être arrivée sur la patinoire. À l'évidence, rien n'irait aussi vite que nous l'avions cru.

Les joueurs avaient envie de s'amuser à nos dépens et c'était de bonne guerre. Je me retrouvai donc sur la glace, emportée par Serge Savard et Guy Lapointe pour le plus grand plaisir des photographes. Devant les filets, moi qui n'avais jamais mis les pieds sur une patinoire aussi grande que celle du Forum, j'eus le vertige. Je fus surprise du nombre de spectateurs assis dans les gradins. On avait laissé entrer tous les curieux qui, ayant appris notre présence, avaient voulu venir nous encourager. L'esprit était à la fête, mais les trois géants qui se trouvaient devant moi me paraissaient avoir complètement oublié que je n'étais ni Michel Plasse ni Ken Dryden. Jean avait insisté pour que je ne porte pas de masque, ce qui me paraissait normal pour faire de la télévision. Il avait demandé aux joueurs de ne pas oublier que nous étions là pour nous amuser et qu'il ne fallait pas courir de risques inutilement. Tout se passa bien pendant la première heure. Par contre, une fois bien réchauffés, les Lemaire, Cournoyer et Houle eurent vite fait d'oublier à qui ils avaient affaire.

Je restai sur la glace pendant plus de deux heures. À la fin, j'étais épuisée. Le grand plaisir du fameux trio du Canadien était de patiner à toute vitesse du fond de la patinoire pour venir freiner sous mon nez et m'éclabousser de glace. Ils s'amusaient comme des fous. Moi aussi, je dois bien l'avouer, même si, à deux ou trois reprises, le sifflement de la rondelle près de mon oreille m'avait fait frémir de peur. J'engueulai Lemaire en lui disant que je ne voulais pas me retrouver à l'hôpital. Au bout de deux heures, nous avions notre matériel. J'avais tenu parole. Quant à Jacques et à François ils avaient tous les deux perdu leur moustache. Les joueurs s'étaient amusés à jouer les barbiers avec nos deux collègues.

Quand je quittai la glace, Jean Bissonnette vint me trouver. Il me fit une grosse caresse en me murmurant à l'oreille : «Je peux bien te le dire maintenant : moi, je n'aurais jamais fait ce que tu viens de faire; j'aurais eu bien trop peur.»

L'événement nous valut une couverture immense dans les journaux : des premières pages, et aussi des articles importants, dont celui de Pierre Foglia, une pleine page de *La Presse* du 9 novembre 1973 qui fait encore mon bonheur aujourd'hui. L'article portait le titre : «Lise au pays des sportifs».

— *Sur un lancer de Jacques Lemaire, la rondelle a ricoché sur mon hockey et m'a sifflé aux oreilles avant d'aller frapper la baie vitrée.*

» *Lemaire s'est approché et m'a dit : «Tu m'excuseras, je ne voulais pas te faire peur...*

— *Parce que les joueurs vous tutoient ?*

— *Tiens c'est vrai, vous me faites penser que c'est la seule fois qu'ils m'ont tutoyée. Sans doute parce que j'étais sur la glace. Par ailleurs, ils me vouvoient et moi aussi, c'est un détail, bien sûr, mais qui n'est peut-être pas étranger au fait qu'ils se sentent plus en confiance avec moi qu'avec les autres rédacteurs sportifs...*

» *Où en étais-je ?... Ah oui ! Lemaire s'est donc excusé de m'avoir fait peur. Mais c'est précisément à ce moment-là que j'ai commencé à avoir peur! J'ai soudainement réalisé qu'il pouvait m'arriver n'importe quoi, je n'avais pas de masque — pour les photos — et plus le temps passait, plus les joueurs faisaient les fous et oubliaient de me ménager. Finalement, cette farce qui ne devait durer que dix minutes a duré une heure et demie et je suis sortie de là complètement épuisée...*

On est ici au cœur du trip sportif de Lise Payette. Un trip pour de vrai.

J'avoue, quant à moi, m'être arrêté à la première escale. Pour tout dire, je voyais cela comme un numéro de dressage : «Fais le beau, donne la papatte à sa mémère, montre au monde que tu es fin», et avec la même grâce pataude, chaque petit ours est venu faire son petit tour de piste.

Quand le dompteur est descendu dans la fosse dans un roulement de tambour — et sans masque (pour les photos) —, je me suis dit : «C'est parfait, voilà le clou du spectacle, on va pouvoir passer à autre chose, peut-être que les clowns vont revenir.»

Je m'étais trompé puisque le numéro de Lise dure encore. C'est ainsi qu'elle rebondissait samedi dernier à La Soirée du Hockey, faisant presque dire à Jacques Lemaire qu'il n'était pas content de jouer durant les désavantages numériques. Ce qu'il n'aurait jamais avoué à un journaliste ordinaire, à plus forte raison entre la première et la deuxième période.

J'en conçus un soupçon de jalousie. Puis je tombai sur la revue Nous dans laquelle Lise signe une chronique sportive chaque mois. Dans la dernière parue, elle nous avoue quelques anomalies cardiaques : «J'ai porté dans mon cœur le deuil de mon gardien préféré» (Ken Dryden). «En apprenant la nouvelle, mon cœur n'a fait qu'un bond.»

Mais j'ai levé les bras au ciel quand j'ai lu : «Il était le seul joueur de langue anglaise du club à avoir fait l'effort d'apprendre le français.»

J'ai alors décidé qu'il fallait absolument que je rencontre Lise Payette, ne serait-ce que pour lui dire que si Dryden anônne péniblement cinq mots de français, c'est bien le moins qu'il pouvait faire après de brillantes études universitaires, dont trois ans à McGill.

Je l'ai donc rencontrée. Ce n'était pas la première fois, mais hier, elle n'avait pas de micro et paraissait moins redoutable. J'ai passé deux heures avec une *femme chaleureuse, diserte, qui m'a dit être timide aussi, mais de cela j'étais beaucoup trop nerveux pour me rendre compte. Après tout, j'avais devant moi la femme dont presque toute la province se dispute les faveurs de onze heures à minuit chaque soir. Une femme à laquelle je devais aussi des plaisirs moins frelatés, comme ceux qu'elle distillait dans l'émission radiophonique,* D'un jour à l'autre, *qui vit défiler Vigneault, Rostand, Simenon...*

Justement, Vigneault, Rostand, Simenon... et maintenant Lemaire, Cournoyer. Je ne comprends pas très bien.

— C'est une vieille histoire. Le hockey, c'est un peu de ma jeunesse dans Saint-Henri, et lorsque j'ai rencontré Maurice Richard pour la première fois, j'ai été aussi impressionnée que lorsque j'ai été présentée à Jacques Normand. Les deux étaient également mes idoles.

» C'est aussi une histoire que je vis présentement. Le hockey me fait vibrer. Je regarde un match à la télévision, toute seule chez moi, et je crie! Moins souvent depuis l'expansion, mais j'ai crié durant les dernières séries éliminatoires...

— Vous êtes en train de me parler de Lise Payette spectatrice...

— C'est cela aussi que je suis. Une spectatrice d'abord, je ne suis pas une analyste du hockey. Et je suis aussi une femme qui met son nez dans un monde d'hommes; ce faisant, j'invite les veuves du sport, celles dont les maris passent des heures à regarder des émissions sportives à la télévision, à s'intéresser au hockey, au baseball, au football. Je leur dis en quelque sorte que c'est un plaisir qui est aussi à leur portée.

— *Ce qui est un peu choquant, c'est que vous donnez au sport professionnel en général et au hockey en particulier une tribune très privilégiée...*

— *Je n'y peux rien. L'émission est faite pour les vedettes connues. Ce sont les critères de Radio-Canada, pas forcément les miens. Ce que je peux vous assurer, c'est que ce trip sportif, comme vous dites, n'était absolument pas planifié ou mis en scène. C'est arrivé spontanément. J'ai provoqué quelques joueurs de hockey, et lorsque à leur tour ils m'ont mis au pied du mur, j'ai été obligée de m'exécuter. Refuser d'aller au Forum, par exemple, et de participer à une pratique, c'eût été manquer de «guts», et cela, ce n'est pas moi.*

«Guts», c'est un mot qui reviendra plusieurs fois dans la conversation. Quand Lise Payette parle d'Yvan Cournoyer, elle dit avec conviction : «Je l'aime bien parce qu'il a du "guts".»

— *D'accord, il joue merveilleusement bien au hockey et il a du «guts». Et c'est suffisant, selon vous, pour l'installer sur un piédestal? Vous êtes entrée dans l'intimité de certains grands hommes de ce siècle, et vous n'avez pas l'impression que...*

— *Que la conversation avec Cournoyer est plus limitée? Bien sûr. Mais c'est très facile à expliquer. Pour arriver à cette excellence sur la patinoire, cela suppose qu'il faut avoir consacré la majeure partie de son temps au hockey. Si je veux le rejoindre, je dois nécessairement passer par le hockey.*

» Mais c'est la même chose avec une foule de gens. Je pense à François Cousineau, par exemple, qui m'accompagne à l'émission. C'est un musicien qui vit, mange, rêve musique depuis si longtemps que pour le rejoindre je dois passer par la musique.

L'ennui avec Lise Payette, c'est qu'elle a réponse à tout. Et réponse si souvent intelligente qu'on n'a même pas le temps d'être agacé. Ce n'est qu'après coup qu'on s'aperçoit qu'on s'est fait avoir.

Par exemple, si vous essayez de dire à M*me* Payette qu'il existe d'autres sports que le hockey, elle vous répond, désarmante :

— Je sais, il y a le baseball et le football, les courses de chevaux, le tennis. Mais moi, c'est le hockey que j'aime.

Et oups, mine de rien, l'athlétisme, la gymnastique, la natation, l'aviron, le cyclisme, la boxe (elle déteste ça), l'haltérophilie et vingt autres disciplines olympiques viennent de passer à côté du plateau d'Appelez-moi Lise.

— Mais non, puisque ce n'est pas une émission sportive que nous faisons. De toute façon, je n'ai rien à voir avec le choix des invités.

C'est exactement cela. Ce n'est pas une émission sportive, mais on y parle cependant fréquemment de hockey. Et les joueurs de ce merveilleux sport peuvent donner dans l'infantilisme le plus vagissant, puisqu'ils ont l'excuse d'avoir passé plus de temps sur la glace que sur les bancs d'école.

— Mais, enfin, pourquoi est-ce que je jugerais ces athlètes-là ? Qui suis-je pour le faire ?

Entendez : « Pour qui vous prenez-vous pour les juger ? » Et surtout n'insistez pas, ce serait de la dernière imprudence.

Il ne vous reste plus qu'à brûler vos dernières cartouches :

— Bon, dites-moi alors ce que vous pensez de Mike Marshall, ce lanceur vedette des Expos qui a déjà conseillé à un enfant qui lui demandait un auto-graphe : «Tu ferais mieux d'aller à la sortie des universités ou des hôpitaux pour demander des auto-graphes aux savants, aux grands médecins, aux professeurs. Moi, je ne suis qu'un joueur de baseball.

Elle hésite, parle de modestie excessive, d'autre forme d'orgueil, patauge gentiment. Mais c'est à ce moment qu'arrive le garçon de table avec un carnet qu'il dépose à côté de mon assiette en expliquant : «C'est pour notre cuisinier qui aimerait avoir votre autographe, madame Payette...»

Que pensez-vous qu'elle a fait? Elle m'a regardé en coin, et m'a demandé, gentiment moqueuse :

— Est-ce que je signe, ou est-ce que je l'envoie à la sortie des hôpitaux?

Comme si le diable avait besoin qu'on l'aide!

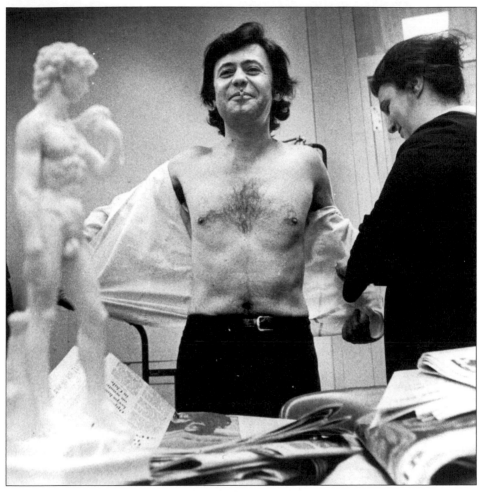

Le concours du Plus Bel Homme du Canada
était repris dans plusieurs entreprises du Québec.
À *La Presse*, le caricaturiste Girerd a été
couronné mais aussi invité, avant de recevoir
son trophée, à « montrer le matériel ».

Gilles Latulippe avait pris
la place de Pierre Lalonde.
En principe, je n'aurais
pas dû le savoir.
J'ai joué la surprise
et le refus du baiser
accordé au gagnant.

Un habitué du concours, Pierre Nadeau,
en compagnie de Geneviève Bujold.

Le plus réticent des plus beaux a
certainement été le regretté Léo Ilial
(ici en compagnie de Diane Dufresne),
qui avait résisté de toutes ses forces
à l'honneur qui lui était fait,
et jusqu'à la dernière minute.

Jean Drapeau a tenu parole :
je serai donc « maire » de Montréal
pendant une journée.
D'ailleurs, j'aime assez le
confort de son bureau.

Le maire Drapeau avait un garde
du corps pas comme les autres…

Allons, un peu de sérieux, messieurs les conseillers ! Je songe à abolir
les élections municipales à Montréal… Ainsi, nous pourrons
faire tout ce que nous voudrons en paix. Est-ce que j'ai votre accord ?
(De g. à d : Lawrence Hannigan et Yvon Lamarre.)

On ne peut pas dire qu'il y ait beaucoup de femmes
au comité exécutif. Il faudra y voir…

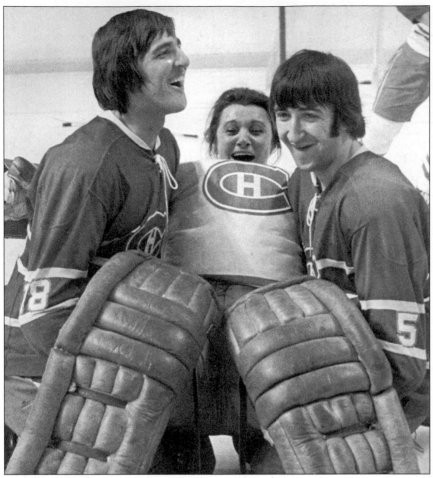

Le tournage de mon match avec le Canadien va durer
plus de deux heures ; c'est tout un contrat, surtout entre les mains
de Serge Savard et Guy Lapointe.

J'ai un entraîneur attitré en la personne de
Jacques Lemaire. Le plus sage, c'est Jacques
Fauteux, qui préfère jouer le rôle de spectateur.

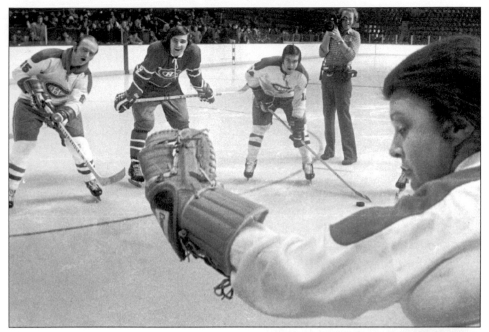

« Fais ta prière, Lise; le moment de vérité est arrivé. » Jacques Lemaire, Serge Savard et Réjean Houle prennent position devant mon but.

Rien ne me sera épargné, pas même le seau à glace.

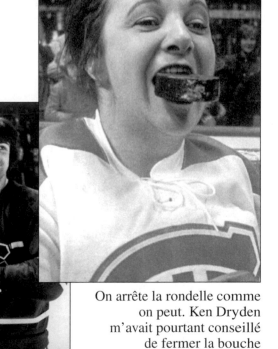

On arrête la rondelle comme on peut. Ken Dryden m'avait pourtant conseillé de fermer la bouche quand j'avais fini de parler…

La journée a été coûteuse : l'animatrice
est vidée; Jacques Fauteux a perdu la moitié
de sa moustache et François Cousineau
s'est fait couper toute la sienne
par les joueurs du Canadien.

12

Mon ami Bourassa le fort

Je pensais qu'après cette rencontre je n'entendrais plus jamais parler de Foglia. Tel ne fut pas le cas. Il devait me consacrer un autre article un peu plus tard, au sujet de Jean-Claude Bourassa, celui que j'appelais «Bourassa le fort», faisant ainsi allusion à «Bourassa le faible», celui pour qui les choses allaient assez mal en politique à ce moment-là et qui était néanmoins Premier ministre du Québec.

De quoi elle se mêle?
Le Canada ne gagnera pas la médaille d'or de la catégorie superlourds en haltérophilie aux prochains jeux Olympiques. Dans cette épreuve vedette des J.O., vedette parce qu'elle désigne l'homme le plus fort du monde, comme le 100 mètres désigne l'homme le plus vite du monde, dans cette épreuve vedette donc, il n'y a personne au Canada pour battre le Soviétique Vasily Alexieev, qui lève dans les 950 livres au total des deux mouvements, arraché et épaulé-jeté. Et si ce n'est pas Alexieev, ce sera le Belge Serge Reading, l'Allemand Bonk, le Bulgare Plachkov, ou encore l'un des 10 autres Soviétiques qui lèvent dans les 880 livres.

L'homme le plus fort du monde n'est donc pas canadien. Je vous le dis avant que vous entendiez dire que l'homme le plus fort du monde s'appelle Jean-Claude Bourassa et qu'il est actuellement détenu au pénitencier Leclerc.

Peut-être est-il trop tard, peut-être regardiez-vous Appelez-moi Lise *le soir où Lise Payette a reçu Jean-Claude Bourassa, qui l'a impressionnée avec un ou deux tours de force très spectaculaires, qui n'avaient cependant qu'un lointain rapport avec l'haltérophilie.*

Vous connaissez Lise, le cœur grand comme ça, au moins aussi grand que son ignorance de l'haltérophilie, ce qui n'est sûrement pas un trou dans sa culture, l'haltérophilie n'ayant joué qu'un rôle très mineur dans notre évolution sociale, économique et même sportive. Je ne pense même pas qu'on insulte Jacques Beauchamp en disant qu'il n'y a pas un seul journaliste sportif au Canada capable de faire le compte rendu technique d'une compétition d'haltérophilie.

Mais vous connaissez Lise, connaît, connaît pas, elle parle. Elle est pas gênée. Elle allait s'occuper de Jean-Claude Bourassa, on allait voir ce qu'on allait voir. Elle tenait une occasion de se rendre utile, elle ne la lâcherait pas comme ça.

Elle n'a pas eu à se démener beaucoup, l'émission Appelez-moi Lise *étant suffisamment populaire pour rejoindre des dizaines d'autres petits cœurs qui n'attendaient qu'une occasion de saigner pour l'haltérophilie, même s'ils n'avaient, pas plus que Mme Payette, la moindre fichue idée de ce que pouvait bien être l'haltérophilie.*

Tant de sollicitude a fait de Jean-Claude Bourassa un sujet à la mode, un cas pathétique, une âme à sauver. Même un sous-ministre (Yves Bélanger) s'en est mêlé en donnant l'ordre à la fédération québécoise d'haltérophilie d'aller évaluer le spécimen sur place, à l'Institut Leclerc, « et plus vite que ça, c'est quand même un monde qu'on se fasse griller par la Payette sur notre propre terrain ».

Le fédération, en la personne de l'entraîneur de notre équipe d'élite, Philippe Hedrich, y est allée rencontrer Jean-Claude Bourassa. Et ce qui ressort du rapport de Hedrich, c'est que Bourassa n'a aucune chance, ne parlons pas de gagner, mais même de participer aux Jeux, puisque dans sa catégorie (superlourds), le minimum exigé pour se qualifier est de 775 livres et qu'il n'en lève que 620. Au classement proportionnel (poids soulevé par rapport au poids de l'athlète), Bourassa, qui pèse entre 320 et 330 livres, se classerait vers la 40e place au Québec, la 100e au Canada.

On voit qu'on s'éloigne de plus en plus de Vasily Alexieev, et cela même si Bourassa devient champion canadien dans quinze jours à Québec, où se tiendront les championnats nationaux. Il n'y aura en effet pas plus de trois concurrents dans la catégorie des superlourds, et le protégé de Lise Payette pourrait remporter un titre, presque par défaut.

L'aventure se terminera sans doute là, mais elle n'aura pas été tout à fait inutile. Elle aura permis de découvrir que l'Institut Leclerc possède, en quantité, plus d'équipement que n'importe quelle salle d'haltérophilie au Québec, de découvrir que si Pierre Charbonneau avait passé à l'émission Appelez-moi Lise, *il aurait déjà sa statue au Stade olympique puisqu'il est classé sixième au monde dans sa catégorie*

(165) livres. Mais Charbonneau n'est pas passé à l'émission. Il est vrai qu'il n'est détenu nulle part, ce qui lui enlève un peu de son mérite.

Enfin, à défaut de découvrir un champion, cette émission nous aura permis de redécouvrir Lise Payette, ce qui est toujours un plaisir.

Le seul ennui dans tout cela, c'est que, comme tout le monde, Jean-Claude Bourassa s'est mis à croire qu'il était l'homme le plus fort du monde, et ça va lui faire de la peine quand il va apprendre que ce n'est pas vrai.

L'équipe d'*Appelez-moi Lise* faisait parfois des émissions dans les prisons. Nous étions allés à l'Institut Leclerc d'abord, puis à Archambault. Pour nous, cela représentait une expérience souvent troublante car nous étions mis en contact avec des détenus en qui nous découvrions de fidèles téléspectateurs. Ils suivaient l'émission avec assiduité.

Au cours d'une de ces visites, je fis la connaissance de Jean-Claude Bourassa, qui me confia son rêve de s'entraîner sérieusement en haltérophilie. Il croyait fermement qu'il pourrait être un candidat valable pour les jeux Olympiques de Montréal, dont on commençait à parler partout. Il en rêvait vraiment, mais il était convaincu qu'il n'avait aucune chance d'être pris au sérieux, à cause de sa détention. Nous avions donc invité «Bourassa le fort» à l'émission pour qu'il nous montre ce qu'il savait faire et dans le but de trouver quelqu'un qui pouvait s'intéresser à lui. Il avait fallu négocier sa présence avec les autorités de la prison et il était venu au studio accompagné de gardes armés.

Ce que raconte l'article de Foglia concernant un sous-ministre qui s'intéressa au cas est vrai, et ce dernier devait déléguer Claude Hardy, qui n'était quand même pas le dernier venu dans le domaine, pour évaluer le candidat Bourassa à l'intérieur des murs de sa prison. Hardy lui trouva suffisamment de talent pour avoir envie de l'entraîner lui-même, ce qui fut fait. Bourassa progressa et Claude Hardy me confirma que tous les espoirs étaient permis. Il devait effectivement gagner sa première médaille peu de temps après. Je n'ai jamais su pour quel crime Jean-Claude Bourassa était détenu. Si je lui avais posé la question, il m'aurait sans doute répondu, mais j'ai préféré ne pas savoir.

Un jour, Jean-Claude Bourassa fut libéré. Les choses allaient devenir plus simples et Claude Hardy avait préparé pour lui un programme d'entraînement qui le mènerait jusqu'aux Olympiques si tout allait bien. Les deux hommes étaient devenus des amis.

Un matin, très tôt, je fus réveillée par un appel téléphonique de la police de Montréal. On m'apprenait que Jean-Claude Bourassa avait été abattu par une balle dans le dos, dans un parc de stationnement, au cours de la nuit. Le lieutenant chargé de me transmettre la nouvelle me raconta que Bourassa avait apparemment reçu un appel de quelqu'un qui lui avait donné rendez-vous dans ce parc. Il s'y était rendu seul. Quand je me mis à pleurer au téléphone, le policier me dit : «Ne pleurez pas trop. Vous savez, ce n'était pas un ange, ce gars-là.» Je raccrochai. Comme s'il ne fallait pleurer que sur les anges !

Claude Hardy me rappela un peu plus tard pour m'informer que la famille de Jean-Claude était complètement démunie. Sa mère et son jeune frère, ses seuls parents, n'avaient pas l'argent nécessaire pour s'occuper des funérailles. Je demandai à Claude de faire le nécessaire, lui promettant de tout payer. J'étais en studio quand il me rappela pour me dire qu'un cercueil ordinaire ne ferait pas l'affaire. Jean-Claude devait peser dans les 175 kilos, il lui faudrait un «extralarge» et cela coûtait plus cher. Je lui dis de prendre un «extralarge». Il me rappela quelques minutes plus tard, pour me dire que l'«extralarge» non plus ne faisait pas. Pour entrer le corps, il faudrait probablement briser les os… Je dis à Claude de trouver un cercueil assez grand, que le coût n'avait aucune importance.

Le lendemain soir, je me rendis au salon funéraire. La mère de Jean-Claude Bourassa s'y trouvait, ainsi que son frère et une vingtaine de gars assez jeunes qui se levèrent tous quand j'entrai. Je ne sais pas qui ils étaient, mais j'eus l'impression d'avoir droit à une sorte de haie d'honneur.

Aux funérailles, le lendemain matin, la police paraissait omniprésente. On vint me dire de ne pas trop traîner sur le perron et de me tenir à l'écart du groupe principal. Ce fut la fin de Jean-Claude Bourassa, qui fut enterré au cimetière de l'Est. Contrairement à ce qu'écrivait Foglia, je crois qu'il avait toujours su qu'il ne serait jamais l'homme le plus fort du monde… parce que la vie ne lui laisserait aucune chance.

Quelque temps après les funérailles, son jeune frère me fit parvenir la médaille d'or que Jean-Claude avait remportée peu de temps auparavant. La seule de toute sa vie.

Je l'ai toujours.

13

La concurrence

Peu de temps après les débuts d'*Appelez-moi Lise*, nous avions atteint un million de téléspectateurs. C'est avec ce million à vingt-trois heures que l'émission a commencé à ressembler à un mythe. À Télé-Métropole, la seule autre chaîne francophone du Québec à l'époque, on dut sentir qu'il fallait faire quelque chose puisqu'il était impensable de laisser toute la place à Radio-Canada sans mener une bonne guerre ouverte.

Cette heure de télévision à la fin de la soirée, alors qu'on avait l'habitude de diffuser un film peu coûteux à l'intention des insomniaques, rapportait beaucoup à Radio-Canada, à cause des publicités. Cette manne ne pouvait laisser Télé-Métropole longtemps indifférente.

Nos premiers concurrents sur l'autre chaîne furent Dominique Michel et Réal Giguère, à *Altitude 755*. L'expérience ne devait pas s'avérer très heureuse. L'émission de Dodo et Réal ne dura que quelques mois. Alors que nous atteignions un million de téléspectateurs, *Altitude 755* n'en rejoignait que deux cent mille. Le soir de leur dernière émission, Dominique et Réal nous avaient invités, Jacques

Fauteux et moi. Nous sommes arrivés avec une couronne mortuaire pour souligner le trépas de leur émission et j'ai dansé une valse dans les bras de Réal pour célébrer notre victoire. Tout cela fut fait en toute amitié, bien sûr, surtout que j'ai toujours eu beaucoup de respect et d'affection pour Dominique Michel et Réal Giguère. Nous retrouver seuls en tête d'affiche ne nous rendait toutefois pas mécontents.

Nous ne savions pas cependant que Télé-Métropole gardait encore une carte dans sa manche. Dès l'automne suivant, on allait nous opposer l'«enfant terrible» lui-même, Jacques Normand.

Pour ma part, j'accueillis la nouvelle avec le sourire. Cela représentait quand même un événement pour moi. Cet homme que j'avais tant admiré, que j'admirais encore et que j'avais suivi au *Fantôme au clavier* — une émission de CKVL enregistrée devant un public à Verdun et dont je faisais souvent partie, où Billy Monro était le pianiste attitré et où on chantait en cœur les succès français du jour — allait être en ondes dans un talk-show à vingt-trois heures à Télé-Métropole contre *Appelez-moi Lise*. Jacques Normand, que j'avais écouté d'une oreille distraite, d'accord, mais écouté quand même pendant ma nuit de noces quand il animait un radiothon en faveur de je ne sais quel organisme, toujours à CKVL… Jacques Normand, de qui j'avais le sentiment d'avoir appris tant de choses sur le métier, tout ce qu'il fallait faire, bien sûr, mais aussi tout ce qu'il ne fallait pas faire… Ce cher Jacques allait être notre concurrent.

Je crois que c'est là que je réalisai, peut-être pour la première fois d'une façon aussi claire, le chemin que j'avais parcouru. Jacques Normand était déjà une grande vedette quand je n'étais qu'une adolescente, et tout à coup nous allions nous trouver face à face, nous disputant une heure d'antenne à la télévision pour le plus grand plaisir de tous.

Le 10 septembre 1973, Daniel Grégoire nous fit l'honneur de la première page de *Photo-Journal*, sous le titre : «Le grand secret de Lise et de Jacques».

L'émission de Jacques était en ondes depuis le 3 septembre seulement, et, malgré sa bonne humeur ce jour-là, la tâche qu'il venait d'accepter lui donnait déjà du fil à retordre.

Lui : O.K., O.K..., je vais en faire un pari. Disons que les premières cotes d'écoute, ce sera un tiers, deux tiers; non, elles sortent en décembre? Alors ce sera 40 p.cent, 60 p.cent. Pour les deuxièmes, ce sera encore 60-40, mais en ma faveur, cette fois-là.

Elle : Moi, si j'étais à la place de Jacques, j'invoquerais le 5ᵉ amendement pour cette question-là; depuis Watergate, on le sait maintenant, t'es jamais obligé de témoigner contre toi. Invoque donc le 5ᵉ amendement, Jacques! Mais si jamais tu as raison pour les ratings, je paye le champagne.

Lui : Bon, et si c'est elle qui a raison, c'est moi qui paye le champagne. [...] Non, mais cette province est gâtée : deux émissions d'un telle qualité chaque soir; c'est pas extraordinaire, ça? Et puis, si ça va pas, on peut toujours faire un duel. Oui, mais c'est défendu par l'Église...

Elle : C'est pas la seule chose défendue par l'Église qu'on fait déjà.

Lui : C'est vrai, vous êtes habituée, vous vous êtes pour l'avortement. Si seulement votre mère avait été en faveur de l'avortement... Maudit que ça aurait été bon pour mon rating!

Moi : Il est une question que tout le monde se pose : Jacques Normand, vous allez durer combien de temps?

Lui : L'émission a commencé le 3 septembre et j'ai dit qu'elle continuait jusqu'à ce que mort s'ensuive. Ça veut dire jusqu'à ce que je meure ou qu'alors on me pende ou qu'il arrive quelque chose. Non, mais le gag a assez duré. Faire des émissions bien paqueté, là...

Elle : C'est fini, ça?

Lui : Oui, bien fini. À moitié paqueté, ça, ça peut arriver encore des fois.

Elle (en riant) : De toute façon, tu es à moitié paqueté tout le temps...

Lui (jouant le gars fâché) : Maudite mauvaise langue! C'est ça que tu es, une maudite mauvaise langue. Vieille chipie, va!

[...] Jacques est arrivé, s'excusant des cinq minutes de retard qu'il accusait, il s'est dirigé vers nous, a regardé Lise en souriant tout en me serrant distraitement la main, s'est assis près d'elle et a immédiatement commencé à s'entretenir avec elle comme s'il l'avait quittée la veille. Et pourtant leur dernière rencontre remonte déjà à plusieurs mois en arrière. De son côté, Lise le regardait doucement, de ce regard souriant et un peu protecteur dont elle enveloppe les gens qu'elle aime. Elle attendait l'occasion de pousser une bonne blague, question d'éprouver Jacques sans doute, question de le mettre au défi comme il aime que ses amis le mettent au défi.

Et en regardant ces deux enfants terribles de la télévision s'entretenir doucement comme cela, on ne *pouvait sentir autre chose que la profonde amitié qui les unit, le très grand respect qu'ils éprouvent l'un pour l'autre. Ils ont parlé de choses et d'autres, répondant parfois à mes questions, les ignorant parfois aussi si elles les dérangeaient, se remémorant des souvenirs communs, se donnant mutuellement des nouvelles de vieux amis.*

J'ai encore les oreilles pleines de leur rire à tous les deux, des propos légers ou plus sérieux qu'ils ont échangés, des «mon amour», «mon trésor» que Jacques lançait amicalement à Lise et des «Jacques...» qu'elle lui répondait...

Je les revois tous les deux, vrais, ayant jeté bas le masque, n'esquissant même pas une tentative pour s'impressionner mutuellement, sachant fort bien qu'ils sont tous les deux au-dessus de tout cela, chacun mettant au contraire tout en œuvre pour bien montrer à l'autre le respect qu'il suscite chez soi...

Le 16 septembre suivant, moins d'une semaine après cette entrevue, *Dimanche/Dernière heure* publiait un article de Jean Laurac sous le titre : «*La Normandise* en difficulté».

Grand branle-bas à Télé-Métropole cette semaine. À peine dix jours après le début de la nouvelle saison, on décide de réajuster son tir en procédant à de nombreux déplacements au niveau des réalisateurs dont le principal responsable semble être Jacques Normand et sa série La Normandise.

On a retiré à Laurent Larouche la responsabilité de réaliser cette émission et depuis jeudi soir c'est Jacques-Charles Gilliot qui a pris la succession. Les deux hommes concernés sont avares de commentaires, Larouche se contentant de dire laconiquement : «*Il y a eu désaccord entre la direction et moi.*»

Même si personne ne veut le confirmer officiellement, on n'aurait pas obtenu avec La Normandise *les résultats escomptés et on a nettement l'impression que tout comme contre* Altitude 755, *la rivale* Appelez-moi Lise *aurait à nouveau le haut du pavé lors des prochaines publications des cotes d'écoute.*

Malheureusement pour mon ami Normand, l'émission a disparu comme elle était venue. Les tentatives de Télé-Métropole de contrer le succès d'*Appelez-moi Lise* avaient échoué. Nous allions rester les seuls maîtres de l'antenne à vingt-trois heures jusqu'à la fin.

14

Les plus beaux hommes du Canada

Si j'avais été croyante, je pense qu'il m'aurait fallu confesser le plaisir que j'avais à préparer le concours du Plus Bel Homme du Canada chaque année. Que de plaisir nous avons connu ces 14 février-là! Il pouvait bien faire moins quarante à l'extérieur, il pouvait neiger, venter et geler à pierre fendre, toutes les femmes attendaient ce moment extraordinaire de *les* voir défiler. Elles avaient le sourire aux lèvres depuis des semaines quand la Saint-Valentin s'annonçait chaque année. C'était alors le retour du «plus beau» et nous devinions l'ambivalence des sentiments des hommes face à ce concours bien particulier.

D'abord, ils éprouvaient la peur du ridicule, c'était évident. Puis une certaine satisfaction de se savoir désignés par le vote populaire, mêlée à une certaine crainte toute personnelle de se voir devant le peloton des laissés-pour-compte. Le 14 février était une date difficile à vivre, non seulement pour les gagnants du concours, mais pour tous les hommes en général. Certains journalistes masculins ont même tenu des propos carrément jaloux devant le succès des autres et ils auraient probablement voulu se voir à leur place. Pour d'autres, l'humiliation était si grande que, faute de mieux, ils s'en prenaient à l'organisatrice du concours. À preuve cet article de Jean-Marc Desjardins, en première page de *La Presse*, le samedi 16 février 1974 :

Les femmes, les femmes!

[...] Ils étaient tous bien mignons, mais une fois de plus ce sont les femmes qui ont gagné. À une exception près, toutes les femmes du gala du Plus Bel Homme du Canada étaient splendides, belles à croquer comme ça, sur-le-champ, seulement les mignons étaient trop préoccupés par l'exception et ses petites questions fines et subtiles comme de la mélasse.

Et préoccupés surtout par la belle plaque en «fiberglass montée sur imitation de bois de teck», l'oscar des mal-aimés et l'emblème du matriarcat que semble vouloir faire revivre avec férocité tante Lise.

Bon, bon, si vous avez regardé le show, vous savez maintenant que c'est Pierre Lalonde qui a été le dernier des pauvres types à aller parader devant les caméras, donc LE plus bel homme du pays. Paraît même qu'il a été élu démocratiquement, soit par le volume du courrier reçu et décacheté à Radio-Canada.

Si vous n'avez pas regardé, voici la liste des autres minets, dans l'ordre : Pierre Nadeau (Radio-Canada), Ian Ireland (Radio-Canada), Jean Duceppe (Télé-Métropole), Peter Duncan (lui, on n'a pas encore compris...), Jacques Boulanger (Radio-Canada), Donald Pilon (auteur du subtil mais combien efficace Wô, les moteurs!), Benoit Girard, (Radio-Canada), Serge Laprade (Radio-Canada), Normand Harvey (Radio-Canada). [...]

Le malheur, c'est qu'il fallait faire parler les minets, leur faire cracher le plus d'imbécillités possible et pour tante Lise, ç'a été un jeu d'enfants.

La race des minets est bien masochiste. Même dans le cadre d'un spectacle de second ordre, ils ont tout remué pour parvenir à se faire «élire», pour se faire voir en couleur et se faire ridiculiser.

J'ai honte, tante Lise, j'ai honte.

Qu'est-ce que la nature a bien pu vous faire pour que vous en arriviez à de telles bassesses ?

Je sais, je sais, vous me direz que je parle comme un male chauvinist pig, *que nous avons fait subir le même sort aux femmes depuis des siècles, qu'il est temps que le vent tourne... mais les minets ont marché dans le coup et c'est pour ça que j'ai honte, tante Lise.*

Dites-nous, la semaine prochaine, que le show était «paqueté» d'avance, on comprendra, ça fait partie de nos mœurs, mais, tante Lise, de grâce, cessez de parler du nombre de votes.

Le concours a duré neuf ans. D'environ dix mille votes la première année, nous sommes passés à trois cent vingt mille en 1975. Cette année-là, qui devait être la dernière, le compte a dû être fait par les ordinateurs de Radio-Canada et le dépouillement des lettres reçues a nécessité l'engagement de personnel supplémentaire.

Au fil des ans, ce concours, inventé en ondes à l'émission radiophonique *Place aux Femmes* de Radio-Canada, était devenu un rendez-vous plein d'humour et de santé.

Parmi les plus beaux, il y avait eu des beaux, des moins beaux et des pas beaux du tout. Chaque fois, le plaisir d'observer leur timidité, de les voir perdre leurs moyens face à l'honneur qu'ils recevaient, était renouvelé pour le plus grand bonheur des téléspectatrices. Le concours avait commencé dans un studio de radio et il devait terminer sa carrière dans une Place-des-Arts remplie à craquer.

Les habitués étaient, en dehors de Jacques Fauteux et François Cousineau : Benoit Girard, Pierre Nadeau, Pierre Lalonde, Keith Spicer, Pierre Elliott Trudeau, Guy Lafleur, Jean Béliveau, Ken Dryden, Serge Laprade, Normand Harvey, Yves Corbeil, Daniel Pilon, Donald Pilon, Jacques Boulanger, Jean Lesage, Gérard Poirier, Jean Coutu, Richard Garneau, Paul Dupuis, Marcel Masse, John Turner, Philippe de Gaspé Beaubien, Marcel de La Sablonnière, Albert Millaire, Henri St-Georges, Roger Gosselin, Fernand Seguin, Léo Ilial, Bernard Derome, André Payette, Jean-Guy Cardinal, Jean Besré, Jean Duceppe, Guy Provost et tant d'autres. Même Jean-Pierre Ferland a un jour été huitième et Claude Wagner, ministre de la Justice du Québec à l'époque, neuvième.

Serge Dussault, journaliste de *La Presse*, écrivit ceci au sujet de Claude Wagner :

> *Il s'est livré pieds et poings liés à Lise Payette. La mine superbe, le ventre rond, encore sûr de sa popularité, Claude Wagner apprenait qu'il était le neuvième plus bel homme du Canada. «Neuvième, qu'il semblait dire, mais le petit Bourassa n'est même pas là!»*
>
> *À Lise Payette qui le félicitait d'avoir le courage d'affronter un si vaste auditoire féminin, il répond qu'il est touché du témoignage d'affection que 33 208 votes lui apportent. Votes qui auraient été bien utiles lors d'un récent congrès, n'a-t-on pas manqué de souligner.*
>
> *Puisqu'elle l'avait sous la main, Mme Payette en a profité pour le cuisiner un peu — c'est à chacun son tour.*

« Ne craignez-vous pas de ne plus être pris au sérieux après être venu ici ? En général, les politiciens boudent notre concours. »

Ce à quoi l'ancien ministre de la Justice répond qu'il faut distinguer entre politicien et homme politique. En somme, entre le bon grain et l'ivraie. Il ajoute que d'autres usent de mille trucs pour faire de la politique. Que lui n'est pas comme ça. Il va presque jusqu'à déclarer qu'on lui a passé un fameux sapin lors du congrès de leadership de son parti. On le comprend, mais il ne le dit pas. [...]

Les autres plus beaux hommes sont, dans l'ordre décroissant — et pour ceux qui ne l'auraient pas deviné : Jean-Paul Dugas, Jean-Pierre Coallier, Claude Landré, Michel Pelland, Yves Corbeil, Mario Verdon et Jacques Fauteux.

Ils ont descendu un grand escalier qui aurait fait pâlir d'envie Muriel Millard elle-même. Un escalier en bas duquel les attendait Lise Payette. Elle était particulièrement en forme. Vive, brillante, avec ce sourire spirituel et féroce qui lui donne un charme inquiétant.

Aucun homme n'était exclu de ce concours. Et plusieurs ont reçu des votes même si, dans les faits, ils n'étaient pas particulièrement qualifiés comme plus beaux. C'était le cas de Jean Chrétien, de René Lévesque et de Gilles Latulippe. Celui-ci eut quand même droit à la première page de *La Presse* le 16 février 1974.

Le coup avait été monté sans doute avec la complicité de Pierre Lalonde. Au moment où j'allais annoncer le nom de Lalonde, qui était notre grand gagnant ce soir-là, je vis apparaître Gilles Latulippe en haut du grand escalier.

Pour être honnête, je dois avouer que j'avais été prévenue. L'équipe de l'émission n'avait pas voulu que je sois mise en face du fait accompli et avait préféré m'avertir du tour qui se préparait. Je choisis cependant de jouer le jeu et d'afficher la plus parfaite surprise, ce qui me paraissait bien meilleur pour les spectatrices. Cela nous valut cette première page où je paraissais déçue et où je refusais de faire la bise à Gilles Latulippe[1].

Cette photo devait donner lieu à bien des commentaires, parfois désobligeants. Comme si j'avais levé le nez sur la beauté de Gilles Latulippe.

Le concours du Plus Bel Homme me manque encore aujourd'hui. Il m'arrive de penser que le 14 février n'est plus ce qu'il était, car cette bonne humeur de l'époque nous aidait quand même à passer l'hiver, qui me paraît de plus en plus long maintenant. On s'amusait ferme avec ce concours, qui se voulait une réplique aux «Miss N'importe-quoi», comme je l'expliquais déjà à Pierre Julien dans *Photo-Journal* du 19 février 1969.

> *Elle explique que ledit concours se veut la contre-partie des innombrables élections de «miss» (Miss Pomme-de-terre, Miss Cantons-de-l'Est, Miss Fromage-Oka, etc.), où on évalue davantage la chevelure et la cuisse de l'intéressée que ses qualités moins palpables. «Même s'il n'est pas encore question de faire défiler les hommes en costume de bain, les femmes et les élus participent à ce concours dans un esprit léger, sinon de blague. Place aux femmes nous a appris au moins une chose : les femmes ont le sens de l'humour. C'est beaucoup!»*

---

1. La photographie apparaît parmi celles reproduites dans l'ouvrage.

— N'y a-t-il pas une raison plus profonde qui fait que plus de 30 000 femmes prennent la peine de faire connaître leur opinion sur une beauté masculine?

Probablement qu'en posant ce geste la femme se décomplexe. Autrefois, une femme n'avait pas le droit de dire à un homme qu'il était beau. Maintenant elle le clame jusque devant le public.

— Quel est le type d'homme que vous aimez particulièrement?

— Je préfère les hommes grands, foncés de cheveux, aux épaules bien charpentées. Tenez, la plus belle bête que je connaisse est Richard Garneau. Il est parfait, ce gars-là; pas le moindre petit défaut. Jean Béliveau aussi serait mon type. Parmi les candidats de cette année, mon choix se porte sur Léo Ilial.

— Et si vous étiez l'épouse du plus bel homme du Canada, comment réagiriez-vous?

La réponse fuse, spontanée :

— Je l'enfermerais dans une armoire pendant un an. C'est bête, un homme. Il s'agit de lui dire qu'il est beau pour qu'il y croie.

Le plus beau gala fut le dernier, en 1975. Nous avons alors couronné le regretté Léo Ilial comme plus bel homme, mais ce fut, je dois le dire, à son corps défendant. Il était vraiment timide, mais ce n'était pas tout. Nous avions eu l'impression, en communiquant avec son épouse pour faire les arrangements nécessaires à sa présence à la Place-des-Arts, qu'elle était absolument contre sa participation à l'événement. Elle nous avait d'abord enjoints de retirer son nom. Quand nous lui avions expliqué que c'était le vote populaire qui avait désigné son mari, elle avait quand même été furieuse. Nous lui avions expliqué que même s'il refusait d'être présent, nous ne pouvions rien changer au vote et que nous l'annoncerions comme le gagnant puisque c'était la réalité. Nous avions toujours procédé ainsi avec les absents les années précédentes, de toute façon. Léo Ilial avait fini par confirmer sa présence.

Ce soir-là, nous avions demandé à Diane Dufresne, l'une de nos artistes invités, de monter le grand escalier en chantant *L'Homme de ma vie*, son succès de l'heure, et d'aller chercher Ilial en haut du grand escalier. Parut alors un Léo Ilial au sourire torturé, timide, gauche, et assez désemparé. Une fois sur scène, il était mort de trac, et je crois sincèrement qu'il ne savait plus où se mettre. Au lieu de jouer le jeu, il ne cessa de répéter qu'il ne voulait pas être là, qu'il n'avait rien fait pour cela, qu'il ne se trouvait pas beau et qu'il voulait être ailleurs.

Diane, à la fin du gala, reprit son succès *Si tu penses que c'est comme ça que tu vas m'avoir à soir*, chantant un couplet à chacun des beaux hommes présents sur scène, pour le plus grand plaisir des spectateurs. Je crois bien pourtant que ce fut Ken Dryden qui eut le mot de la fin.

Il avait commencé à étudier le français, mais c'était vraiment un débutant. Quand Diane s'arrêta devant lui, il sortit de sa poche un dictionnaire français-anglais minuscule où il fit semblant de chercher la traduction des mots que Diane lui chantait. La salle croula de rire.

Un jour de l'automne 1997, Jacques Fauteux me téléphona pour m'informer qu'on allait présenter un «gala du Plus Bel Homme» à la cinémathèque du Québec. Nous avons convenu de nous y retrouver. J'y ai emmené ma petite fille. Il s'agissait justement de l'émission où Ilial avait été couronné. Même la petite, qui n'avait jamais vu sa mamie animer ce genre d'émission, a bien ri de ce

qu'elle a vu. À mon grand étonnement, la salle de la cinémathèque était remplie de gens plutôt jeunes, à qui j'ai bien
failli demander pourquoi ils étaient venus visionner un vieil
Appelez-moi Lise un soir où ils auraient pu regarder la
télévision ou aller au cinéma. Je n'ai pas osé.

15

Les beaux moments

J'ai adoré animer *Appelez-moi Lise*. Il m'est arrivé souvent de dire que ce n'était pas travailler que de faire cette émission-là, tellement le climat qui régnait dans l'équipe était formidable. J'avais l'impression d'être privilégiée de rencontrer tout ce beau monde à qui je parlais tous les soirs. Les invités se donnaient beaucoup de mal pour paraître à leur mieux, comme s'ils nous faisaient constamment le magnifique cadeau de leur présence.

Certains d'entre eux sont plus présents à ma mémoire. Je pense aux passages remarquables de Ginette Reno, une conteuse d'histoires absolument désopilante qui nous faisait rire aux larmes. Je me rappelle aussi Michel Noël, avec qui, un certain soir, je n'avais même pas pu terminer l'entrevue tellement il m'avait fait rire. Je n'oublierai jamais non plus l'entrevue touchante du cardinal Léger, qui tenait absolument à chanter, ce soir-là, et qui l'avait fait si joliment. Je me souviens de Jacques Lemaire et de son poème *Rita la rondelle*, ainsi que de René Simard, de retour d'un voyage au Japon où il avait connu un immense succès, et de la jolie poupée japonaise qu'il m'avait offerte. Quel enfant adorable il était!

Je me souviens de Denise Pelletier chantant un extrait de *Mère Courage*, de Dominique Michel relatant ses expériences vécues dans des draps de satin qui la jetaient automatiquement en bas du lit chaque fois qu'elle s'y installait, et du grand-père de Fernand Gignac, centenaire très confus, qui n'avait prononcé qu'un seul mot pendant toute l'entrevue, «pipi...», jusqu'à ce que je réalise que je n'en tirerais rien d'autre et que quelqu'un vienne le chercher pour le conduire là où il voulait aller.

Je ne suis pas près d'oublier non plus la visite du sculpteur Armand Vaillancourt à l'émission. Dès que j'eus annoncé sa présence en le nommant, il a commencé à se déshabiller près du fauteuil de l'invité. Il a enlevé tous ses vêtements sans dire un mot. Jacques Fauteux et moi l'avons regardé faire, bouche bée. Puis il s'est assis et Jacques a été le premier à réagir. Il a dit : «Monsieur Vaillancourt, est-ce que vous êtes né comme ça?» Tout le monde a ri et j'ai enchaîné avec les mêmes questions que je lui aurais posées s'il avait été habillé. Il a répondu normalement, sans faire allusion au fait qu'il était nu. Nous étions déjà assez avancés dans l'entrevue quand le régisseur cria : «Coupez!» Ce qui nous fit rire encore plus... mais l'émission était arrêtée.

C'était la première fois que cela se produisait à *Appelez-moi Lise*. Jamais une émission n'avait été interrompue auparavant. La réalisatrice Suzanne Mercure avait pris la décision de ne pas aller plus loin dans l'entrevue d'Armand Vaillancourt, qui fut prié de sortir. Il le fit sans faire d'histoire, après avoir ramassé ses vêtements.

Après consultation, on décida de continuer l'enregistrement mais de diffuser l'émission amputée des dix ou douze minutes qu'avait duré l'entrevue de Vaillancourt. Ce fut la seule fois où l'émission fut écourtée. Suzanne Mercure justifia son choix en disant que de passer l'entrevue avec Vaillancourt équivalait à provoquer d'autres incidents du même genre et à nous rendre plus vulnérables vis-à-vis n'importe quel hurluberlu. Elle ne voulait pas choquer l'auditoire en lui montrant la nudité de Vaillancourt. Sa décision fut endossée par la direction de Radio-Canada. Ce fut le seul incident du genre à *Appelez-moi Lise* en trois ans.

Par contre, l'un des plus beaux moments pour moi fut sans doute cette entrevue très particulière que je fis avec Henri Charrière, dit Papillon. Je devais avoir un faible pour les repris de justice, car Papillon avait été incarcéré à Cayenne, condamné à perpétuité pour des crimes qu'il jurait ne pas avoir commis. On avait obtenu des faux témoignages contre lui en France. C'était son histoire telle qu'il la racontait. Dès son arrivée à Cayenne, disait-il, il avait commencé à travailler à son évasion car il avait juré de ne jamais accepter le jugement injuste dont il s'estimait la victime et il voulait se venger de ceux qui l'avaient envoyé dans cet enfer. Il venait d'écrire un livre racontant sa vie. Un jour, réfugié au Venezuela après avoir sauté le mur de sa prison, il avait entendu raconter l'histoire d'Albertine Sarrazin, qui avait écrit un livre magnifique, *L'Astragale*, où elle racontait sa cavale après son évasion de prison. Papillon avait acheté l'œuvre et s'était dit que si elle avait pu vendre cent vingt-trois mille exemplaires de son livre avec un petit séjour en prison, il en vendrait bien plus avec sa propre histoire. Il venait d'avoir soixante ans. Il avait plus de trente ans de vie à raconter. Il écrivit l'histoire de son incarcération et de son évasion de Cayenne, comment il avait trouvé refuge au Venezuela et comment il était devenu citoyen de ce pays où on l'avait accueilli avec générosité. Il ne pouvait pas rentrer en France, où on considérait toujours qu'il devait être ramené à Cayenne jusqu'à la fin de sa vie.

Le lancement de son livre avait été un véritable événement en France. Il avait encore la police à ses trousses et les journalistes devaient se rendre à ses conférences de presse quasi clandestinement. J'avais eu l'occasion de le rencontrer une première fois à l'hôtel Meurice, où avait eu lieu une conférence de presse qui devait d'abord se tenir à l'aéroport d'Orly. Il avait répondu rapidement aux questions de quelques journalistes, juste avant de filer en Suisse pour échapper encore une fois à la police française. Il faisait la promotion de ce livre qu'il venait de publier et qui allait devenir un énorme best-seller. Je ne sais pourquoi, mais il m'avait prise en affection tout de suite, dès les premiers mots que nous avions échangés. Il avait l'habitude de regarder les gens bien en face, droit dans les yeux en leur parlant, et il disait qu'ainsi il pouvait voir jusqu'au fond de l'âme de son interlocuteur.

Quelques mois plus tard, il vint à Montréal au moment de la parution de son livre ici. Il savait déjà qu'Hollywood en avait acheté les droits et qu'on allait en tirer un film avec Steve McQueen dans le rôle titre. Il était ravi du succès qu'il connaissait, mais ce succès venait bien tard.

À l'émission, jamais encore je n'avais tutoyé un invité. J'avais choisi le vouvoiement parce que celui-ci me permettait de faire une meilleure entrevue que ne l'aurait permis le tutoiement, même avec les personnes que je connaissais bien et que je tutoyais dans la vie. Papillon, devant tout le monde, dès qu'il fut assis à mes côtés, insista pour que je le tutoie. Il y tenait tellement qu'il me dit qu'il allait renoncer à l'entrevue si je ne cédais pas à sa demande. Comme cela n'était jamais arrivé auparavant avec personne, ce tutoiement allait donner à l'entrevue une sorte d'intimité très étonnante et très touchante. Papillon parlait volontiers de l'immense tendresse qui l'habitait, de ce qu'il avait retenu de ses années d'enfermement, et de son amour de la liberté. Je savais en outre qu'il allait mourir bientôt. Il souffrait d'une maladie qui ne pardonne pas et il n'en avait que pour quelques mois. Il me l'avait dit. C'est la raison pour laquelle la justice française avait fini par le laisser en paix. Ce fut, me semble-t-il, une belle entrevue. Comme une sorte de cadeau d'adieu.

J'ai gardé de Papillon quelques mots écrits sur une serviette de papier dans un restaurant, des mots tendres qu'il signe : «Ton pote, Papillon.» Il y a des souvenirs plus précieux que d'autres. Et on ne sait pas pourquoi.

Un autre de ces souvenirs marquants est ma traversée du Saint-Laurent en canot sur la glace, à la hauteur du bassin Louise, à Québec. J'avais reçu une invitation du capitaine François Lachance et de son frère Raymond pour participer à une traversée du fleuve en plein mois de janvier. J'allais être la première femme en vingt ans à relever ce défi. Pour cette seule raison, j'avais été incapable de dire non.

Il faisait terriblement froid, ce samedi-là. En plus des frères Lachance, participaient à la traversée André Gazé, de Montmagny, ainsi que Michel Caron et Jean-Paul Thibault, de L'Islet, des gars solides et qui connaissaient bien leur métier. Heureusement. La seule consigne qu'on m'avait donnée fut de ne jamais lâcher le canot quand je serais à l'extérieur de l'embarcation. Pour le reste, je devais les suivre, c'est-à-dire rester dans l'embarcation quand ils y étaient et sauter sur la glace quand ils le faisaient.

En courant toujours, car ils étaient à l'entraînement pour une course de vitesse qui allait avoir lieu pendant le Carnaval de Québec. Je n'ai pas peur de l'eau, mais jamais je n'avais réalisé que ce voyage serait aussi exaltant. C'est très certainement une des choses les plus extraordinaires que j'aie faites, non seulement pour l'émission, mais dans ma vie.

Ce qui m'a le plus fascinée, c'est cette impression profonde, une fois au milieu du fleuve, d'être allée sur la Lune. Les énormes blocs de glace cachaient tout de Québec comme de Lévis, et la rapidité avec laquelle ces blocs descendaient le courant était hallucinante. On réalisait vite qu'on n'avait pas le choix : il fallait sans cesse courir et sauter d'un bloc à l'autre pour ne pas être emporté par le courant et se retrouver sur un bloc qui irait se fracasser contre des dizaines d'autres dans un bruit assourdissant et un mouvement vers le haut qui pourrait tout emporter et tout écraser. Quand il n'y avait pas de glace sous nos pieds, il fallait monter dans le canot et ramer tant bien que mal jusqu'au prochain bloc de glace. La vision du fleuve, de ses glaces déchaînées et le bruit de ces énormes blocs se heurtant les uns contre les autres valaient tous les efforts.

Pas un seul moment je n'ai pensé aux photographes et aux cameramen qui suivaient la traversée à bord du remorqueur *Léonard W.* de la Davie Shipbuilding de Lauzon. J'avais véritablement tout oublié, tellement le travail était exigeant et que j'avais le sentiment que ma vie pouvait être en danger. Si j'étais tombée à l'eau, je ne sais pas ce que mes amis du canot auraient fait pour me récupérer. On n'en avait pas parlé. Il n'y avait pas de gilet de sauvetage. Je vous jure que je n'ai pas lâché le canot.

C'est l'équipe du capitaine Lachance qui gagna la course en février suivant, et plusieurs années d'affilée. Moi, je n'y suis jamais retournée. Pourtant, j'ai toujours eu envie de recommencer l'expérience par la suite. Chaque année. Allez donc savoir pourquoi.

16

Georges, Marcello, Johnny et les autres

En juin 1974, *Appelez-moi Lise* se rendit à Paris pour réaliser des entrevues avec de grands noms de la littérature, du théâtre et du cinéma français. En dix jours, installés dans un salon de l'hôtel Georges V, nous avons reçu cinquante personnalités différentes, au rythme de cinq entrevues d'une heure par jour.

Nous avions choisi le Georges V parce que nous pensions que les «grands» seraient moins effrayés par une adresse aussi connue à Paris. Nous avons installé tout notre matériel en permanence pour dix jours. Les rendez-vous avaient été pris avec de très grands noms, parmi lesquels Georges Brassens, Lino Ventura, Catherine Deneuve, Marcello Mastroianni, Johnny Hallyday, Jean Seberg, Danièle Darrieux, Yul Brynner, Curd Jurgens, Robert Hossein, Raymond Devos, Louis de Funes, Maurice Druon, l'auteur des *Rois maudits*, et Sergio Leone, le fameux réalisateur des westerns spaghetti, qui connaissaient un vrai succès mondial.

Le rythme des entrevues était infernal. Une heure complète avec chacun d'entre eux, plus un changement de costume entre les entrevues, et les retouches de maquillage. Je me souviens d'avoir fait rire l'équipe après quelques jours, à ce rythme, en leur avouant que je me sentais comme une putain faisant des clients. Et au suivant…

Mais le résultat n'était pas mauvais. Bien sûr, il fallait pouvoir passer de l'un à l'autre et trouver les points intéressants de chacun. Travailler à chaud ainsi, chaque jour, devenait comme une sorte d'intoxication dont je n'avais plus envie de me défaire. Se nourrir de la vie et de l'expérience des autres, cela peut avoir quelque chose de grisant, donc de dangereux. En effet, après, il faut savoir revenir à la réalité.

Toutes ces grandes vedettes, qu'on a tendance à croire capricieuses, cachent souvent les personnalités les plus aimables et les plus simples du monde. Tous se déclaraient enchantés de faire l'entrevue demandée, parce que nous leur avions offert un cachet de cent dollars, ce qui n'était rien pour eux, vraiment, mais cela les touchait car ils n'étaient jamais payés à la télévision française quand ils acceptaient une invitation. Leur réaction à notre «petit cachet» nous a étonnés, mais ils étaient tous là à l'heure et prêts à collaborer complètement, même quand nous avions un peu de retard et que nous avons dû les faire attendre.

Le premier lundi matin, à neuf heures, nous avions rendez-vous avec Georges Brassens, que je voyais en dehors de la scène pour la première fois. J'avais déjà assisté à l'un de ses récitals, mais je ne l'avais jamais rencontré. Ce jour-là, dans ma robe longue, au beau milieu d'un salon du Georges V, j'avais le cœur qui battait la chamade.

Georges Brassens se présenta à neuf heures du matin, comme prévu. Jacques et moi étions prêts. J'étais un peu inquiète parce que j'avais toujours cru que Brassens avait un sale caractère. Du moins l'avais-je entendu dire. Nous lui avons servi un café. Nous avons parlé de la pluie et du beau temps, et de son penchant pour la campagne. Nous attendions que le technicien du son, Georges Romanoff, attaché au bureau de Paris de Radio-Canada, nous dise qu'il était prêt pour l'enregistrement. Je l'avais trouvé «brouillon», ce brave Romanoff, quand j'étais entrée dans la pièce. Des fils jonchaient le plancher et cela ne faisait pas professionnel. À neuf heures, nous n'étions pas prêts à commencer. Nous nous sommes excusés auprès de Georges Brassens en lui expliquant qu'il était notre premier invité et que tout allait s'arranger bientôt. À neuf heures trente, rien ne marchait encore. Georges Romanoff, à quatre pattes sous la table où il avait posé son équipement, vociférait contre ses machines, mais rien n'y faisait. À dix heures, nous n'avions toujours pas commencé alors que nous aurions dû avoir fini. Brassens restait toujours charmant. Il disait qu'il comprenait, que c'était la même chose en concert, que le son était toujours difficile à régler… En fait, je savais bien que cela n'avait pas de sens. Alors, j'ai plongé et lui ai demandé : «Ce serait impensable, n'est-ce pas, de vous demander de revenir demain matin à la même heure ?» J'étais convaincue qu'il allait éclater de rire en disant qu'il était pris le lendemain. Pourtant, le miracle se produisit. Il me répondit : «Mais pas du tout. Je serai là.»

Nous l'avons accompagné en le remerciant mille fois et en lui présentant nos excuses, et il s'en est allé, toujours de bonne humeur.

Notre rendez-vous suivant était à onze heures. Suzanne Mercure, la réalisatrice, avait trouvé, à pied levé, un autre ingénieur du son, un Suisse. Je n'ai pas su ce qui s'était passé, mais, à onze heures, Romanoff n'était plus là. Il avait été remplacé. Il n'y avait plus de fils nulle part sur le plancher du salon, qui était devenu un véritable studio. À l'heure dite, nous étions prêts à enregistrer.

Le lendemain matin, à neuf heures, Georges Brassens était de retour, aussi aimable que la veille. Il venait de nous prouver, encore une fois, que les plus grands sont toujours les plus simples. À la fin, nous étions contents de l'entrevue, parce qu'il avait été d'une grande générosité et qu'il avait surmonté sa timidité naturelle. J'étais ravie de découvrir autant de sensibilité et de sagesse chez le même homme.

Les entrevues se suivaient mais ne se ressemblaient pas. Elles s'avéraient cependant toutes intéressantes. Celle de Jean Seberg, l'interprète de la Jeanne d'Arc d'Otto Preminger, m'a émue. Elle avait épousé Romain Gary, l'écrivain français de renom. Jean Seberg devait se suicider quelques années plus tard. Elle est apparue si fragile, le jour de l'entrevue, que j'ai eu davantage envie de la prendre dans mes bras pour la bercer que de l'interviewer. J'ai opéré avec délicatesse, sachant que je pouvais sans doute la casser devant les caméras si je poussais les questions trop loin. Là n'était pas mon propos. Je voulais au contraire une entrevue qui laisse deviner la misère psychologique qu'elle traversait, mais sans la déstabiliser. Les entrevues constituaient parfois des entreprises très délicates et je demeurais consciente de ma responsabilité de ne pas détruire les gens sous prétexte de faire un show.

Si Jean Seberg était si mal dans sa peau, ce n'était pas du tout le cas de Catherine Deneuve. Celle-ci était resplendissante. Je l'avais interviewée déjà et elle avait été froide comme elle l'est en général, mais, ce jour-là, elle est arrivée en compagnie de Marcello Mastroianni, dont elle était amoureuse. Leur amour n'était pas encore connu de tout le monde. Mastroianni a indiqué qu'elle ferait l'entrevue la première et que lui attendrait. J'insistai pour que ce soit dans une autre pièce, afin qu'il ne soit pas témoin de l'entrevue de Catherine Deneuve. Elle fut charmante et elle nous parut beaucoup plus simple qu'à l'accoutumée. Quand arriva le tour de Mastroianni, ce fut elle qui alla l'attendre dans l'autre pièce, patiemment. Nous étions enchantés parce que ces entrevues étaient tombées au bon moment dans ces deux vies. Nous allions pouvoir diffuser des témoignages riches d'émotion et de vérité.

Je confesse que je n'ai pas été insensible à ce fameux séducteur qu'était Marcello. Il avait une façon de rire avec ses yeux qui avait tellement de charme. Il parlait avec cet accent merveilleux en français qui aurait fait fondre le cœur de n'importe quelle femme. La preuve, c'était l'amour de Catherine Deneuve, un amour qu'elle ne cherchait même plus à dissimuler.

Je me souviens de ma réaction quand Johnny Hallyday est entré dans la pièce. Je l'ai regardé et je me suis dit qu'il avait l'allure d'un grand fauve. Une présence à tout casser. Des yeux d'un bleu dévastateur et l'élégance d'un beau cheval sauvage. Un charisme évident et rare. L'entrevue allait être plus difficile, parce que, comme toutes ces vedettes du rock, il est arrivé barricadé derrière son image et sa réputation. J'ai eu envie de lui poser la question : «De quoi avez-vous peur?» Mais je me suis ravisée, sachant qu'il fallait d'abord l'amadouer avant de trouver une brèche par où pénétrer à l'intérieur de l'armure magnifique qui se trouvait devant moi. Parce qu'il s'agissait d'une

131

armure. La même qu'il revêt chaque fois qu'il monte sur scène, à Bercy ou au Zénith. Une armure qui lui interdit de vieillir ou de faiblir. Et, dans cette armure, la seule chose vraiment vivante, ce sont ses yeux.

L'heure passée en compagnie de Raymond Devos a remplacé notre récréation. Il nous a fait rire presque du début à la fin, sauf au moment où il a parlé de la mort de sa femme et que nous avons senti toute la fragilité de l'homme derrière le comédien.

Les choses se dérèglaient parfois dans nos horaires de travail. Yul Brynner, qui était en avance pour le rendez-vous, a dû attendre son tour au bar de l'hôtel pendant que je terminais l'interview en cours. Cela ne l'a pas empêché d'être charmant pendant son entrevue. Il avait une culture extraordinaire, et un amour profond de la France et de la langue française. Il parlait de son métier avec volubilité et de ses débuts avec humour. Il avait «mangé de la vache enragée» assez longtemps pour s'en souvenir.

Juliette Gréco a demandé un petit coussin qu'elle voulait tenir sur son ventre pendant l'entrevue, prétextant que cela la rendait malade de répondre à des questions. Quant à Michel Piccoli, comme son entrevue avait lieu à vingt et une heures, il a traîné avec nous une fois le travail fini, histoire de savoir qui nous étions et ce que nous allions faire de toutes ces entrevues. Il avait aimé ma façon de l'interroger et il l'a dit. Cela m'a fait grandement plaisir après une immense journée de travail.

Les invités répétaient qu'ils adoraient cette formule d'une heure d'entrevue. Qu'ils ne comprenaient pas pourquoi ça ne se faisait pas en France. Ils en avaient souvent assez des deux petites minutes qu'on leur demandait pour ceci ou pour cela, comme si on pouvait tout dire en deux minutes.

Maurice Druon, ce monument de la littérature française, en a parlé aussi. Il a même dit regretter de ne pouvoir entendre ce que nos autres invités avaient raconté au cours de ces heures d'entrevues et il se demandait pourquoi elles ne seraient pas diffusées en France.

Nous avons reçu aussi Sylvia Monfort, la comédienne de théâtre, Jean Dessailly, Danielle Darrieux, la danseuse étoile Ludmilla Tcherina, qui s'est comportée de façon très snob pendant l'entrevue, comme le font parfois les anciennes stars à qui on redonne l'avant de la scène pour un court moment.

Passer de l'écrivain à l'idole rock et aux vedettes du cinéma constituait toute une gymnastique intellectuelle. Chaque personne se montrait différente et je ne disposais parfois que de quelques minutes entre une entrevue et la suivante. Il fallait trouver le ton juste avec chacun des invités, le mettre en confiance dès le début de l'entrevue et s'investir totalement, pour ne rien rater des réponses qui le révélaient le plus. Il ne fallait pas oublier que ces entrevues étaient destinées à l'émission de vingt-trois heures et à un public québécois, et chercher constamment les sujets qui pouvaient intéresser celui-ci de façon particulière.

Les jours passèrent. Nous arrivions à la fin de notre liste quand vint le tour de mon ami Sergio Leone. Je dis «mon ami» car j'avais eu l'occasion de faire sa connaissance en 1972, chez lui à Rome, où je m'étais rendue l'interviewer pour un projet de Denis Héroux qui n'a jamais vu le jour à cause du début d'*Appelez-moi Lise*. Héroux projetait de tourner une série d'entrevues avec de grands noms internationaux et nous avions déjà rencontré Sergio Leone, Jean Dessailly et sa femme Simone Valères, ainsi que le couple Danièle Delorme et Yves Robert. Nous avions passé une journée entière avec Leone. Il avait invité toute l'équipe, avec Denis Héroux et Laurent, qui en faisaient partie, à un déjeuner gargantuesque au sommet d'une tour à Rome, dans un restaurant chic où il avait ses habitudes. Nous étions rapidement devenus de bons amis. Un courant de sympathie était passé entre nous et la journée avait été formidable. L'entrevue s'était faite dans son bureau, chez lui, et il s'était créé rapidement une sorte d'intimité que je ne rencontrais que rarement après une entrevue.

Cette interview n'ayant jamais été diffusée, j'étais heureuse de retrouver Leone à Paris et de pouvoir recommencer l'expérience avec lui. La rencontre fut aussi chaleureuse que la première. Il s'était déplacé de Rome exprès pour nous. Nous avons bavardé après la rencontre et il m'a annoncé qu'il viendrait bientôt à Montréal, où il avait un projet. Il m'a aussi demandé si j'avais déjà songé à faire du cinéma, ce qui m'a fait bien rire. Je lui ai raconté que j'avais failli tenir un rôle important quand j'avais dix-huit ans dans *L'Étranger* de Camus que voulaient tourner trois jeunes cinéastes québécois, mais que ça ne s'était pas fait. Il m'a dit qu'il aimerait m'en reparler, que j'avais une tête intéressante. J'ai répété que je n'étais pas une comédienne, et nous nous sommes quittés là-dessus. Je n'ai jamais revu Leone. J'ai eu de la peine quand il est décédé, parce que je perdais un ami.

Ce fut le cas aussi avec Melina Mercouri. L'entrevue que nous avons faite chez elle à Paris, Jacques Fauteux et moi, fut mémorable. C'est par hasard que nous nous sommes trouvés là le jour même où la nouvelle s'était répandue que les colonels qui étaient au pouvoir en Grèce et contre lesquels Melina menait un formidable combat depuis des années avaient peut-être été renversés. Nous avons interrompu l'entrevue dix fois pour lui permettre de répondre au téléphone. On l'appelait de Grèce, mais aussi de Paris. Simone Signoret a téléphoné à quelques reprises, soit pour avoir des nouvelles, soit pour en donner. Tout le monde cherchait à savoir ce qui se passait en Grèce ce jour-là. Nous avons vécu l'attente avec Melina Mercouri, puis l'espoir fou, et enfin l'horrible déception quand la nouvelle fut démentie. Melina était défaite. Quand nous sommes partis de chez elle, elle et moi étions devenues des amies.

Quand elle devint députée puis ministre du gouvernement de la Grèce, après le départ des colonels, des années plus tard, je lui fis parvenir un petit mot de félicitations. J'étais devenue ministre de mon côté et je trouvais nos destins assez étonnants. Elle m'a répondu qu'elle souhaitait que je me fasse un pays à mon tour et que nos deux peuples soient amis pour toujours.

Le jour de son décès, j'ai eu envie de porter le deuil.

17

Les bons coups et les mauvais

Les recherchistes d'*Appelez-moi Lise* travaillaient fort et bien. L'équipe s'était augmentée de deux ou trois personnes. Grâce à elle, nous pouvions souvent réussir de bons coups.

Un jour, André Rufiange découvrit la piste de la fameuse statue de Maurice Duplessis, mystérieusement disparue sans que personne sache où elle se trouvait. Cette sculpture avait été commandée par le gouvernement de l'Union nationale après la mort de Duplessis. Depuis, personne ne l'avait vue, même si elle était terminée depuis longtemps. Les libéraux, ayant repris le pouvoir, l'avait fait disparaître, si bien que personne ne savait où elle était cachée. Rufi amena à l'émission un fonctionnaire que je devais «cuisiner» jusqu'à lui faire avouer où se trouvait la statue. Nos caméras se rendirent dans un entrepôt de la Sureté du Québec, pour y découvrir la sculpture sous des matériaux divers, enveloppée dans une bâche couverte de poussière. Le lendemain, la nouvelle de notre trouvaille était annoncée par la télévision et tous les journaux.

Les autorités de l'époque furent un peu embarrassées. Cette œuvre avait été payée avec notre argent et il était ridicule de leur part de chercher à «camoufler une page de notre histoire» en faisant disparaître la statue d'un personnage aussi important que Maurice Duplessis. On pouvait l'aimer ou ne pas l'aimer, trouver la sculpture intéressante ou non, là n'était pas la question. Elle existait et on devait la montrer.

Cependant, la statue disparut de nouveau. Le Premier ministre Bourassa et le gouvernement libéral de l'époque durent l'entreposer encore une fois puisqu'elle ne fut exposée nulle part avant 1976.

Quelle ne fut pas ma surprise, un jour, au conseil des ministres, alors que j'étais devenue moi-même membre du gouvernement Lévesque, de faire partie de ceux qui allaient sortir la statue de Duplessis des boules à mites et lui donner une place définitive près de l'édifice du Parlement de Québec. Il n'y avait pas grand monde autour de cette table qui se souvenait que c'était à *Appelez-moi Lise* qu'on avait retrouvé la statue, sauf peut-être René Lévesque, qui, en riant, m'avait glissé : «C'est bien bon pour vous… Nos actes nous suivent toujours.» Et il s'était plié en deux tellement il la trouvait drôle.

Si l'histoire de la statue de Maurice Duplessis avait été un bon coup pour l'émission, mon passage à la mairie de Montréal comme mairesse pour un jour était plutôt un mauvais coup réussi aux dépens du maire Jean Drapeau.

Monsieur le maire avait exprimé le désir d'être celui qui me poserait des questions au cours d'une émission. J'avais accepté, mais, au moment de commencer l'entre-vue, je lui dis que, s'il pouvait prendre ma place, il fallait qu'il accepte le principe que je puisse prendre la sienne… Il hésita quelques secondes, puis me dit : «Pourquoi pas?»

J'insistai donc en lui disant que j'acceptais de répondre à ses questions pendant la durée normale d'une entrevue, c'est-à-dire environ douze ou treize minutes, et qu'en échange j'allais être mairesse de Montréal pendant une journée. Il donna son accord.

Il posa toutes les questions qu'il voulut poser. Quand son temps fut écoulé, il avoua qu'il avait beaucoup d'autres questions écrites mais qu'il n'avait pas osé sortir son papier. Je lui expliquai que les questions écrites étaient toujours très mauvaises et qu'il fallait pouvoir improviser. Je lui demandai quand il avait l'intention de remplir sa part du contrat. Une date fut arrêtée.

Dans un esprit de moquerie, je demandai à mes recherchistes de préparer un projet grandiose, comme ceux qui faisaient la renommée du maire Jean Drapeau. Je suggérai la construction d'un dôme transparent au-dessus de la ville, pour que Montréal en hiver devienne une ville sans neige avec des trottoirs chauffés. On fit exécuter un dessin par un artiste des ateliers de Radio-Canada. Le jour choisi, je me présentai à l'Hôtel de Ville de Montréal pour exercer mes fonctions. À mon grand étonnement, on m'expliqua que je serais *vraiment* mairesse pendant quelques heures, que je signerais quelques décrets préparés, qui concernaient l'aménagement de parcs dans la ville, et que je tiendrais une réunion avec le comité exécutif.

La situation avait posé, semble-t-il, un imbroglio légal. Il fallait en quelque sorte considérer que le maire Drapeau avait démissionné pour quelques heures afin de me céder la place. Il reprendrait ses fonctions tout de suite après. Cela me paraissait bien compliqué. Je me suis demandé pendant un seconde ce qui se passerait si je refusais de lui rendre son poste, le moment venu.

La journée se déroula normalement. Les photographes étaient sur place, bien sûr, mais les journalistes spécialisés dans les affaires municipales me firent le reproche, le lendemain dans les journaux, de ne pas avoir «ouvert» l'Hôtel de Ville pour de bon et de ne pas leur avoir permis d'obtenir des réponses qu'ils ne pouvaient jamais tirer de l'administration Drapeau.

Comme il y avait déjà Drapeau qui se prenait pour Dieu à l'Hôtel de Ville, je ne voyais pas la nécessité de faire la même chose. Les journalistes n'avaient probablement pas compris que je ne faisais que jouer à être mairesse de Montréal. Ils auraient voulu que je transforme l'Hôtel de Ville en quelques heures.

Ils avaient toujours tendance à oublier qu'*Appelez-moi Lise* était une émission de variétés, non une émission d'affaires publiques. Cela, on ne me permettait jamais de l'oublier. J'avais beau avoir le goût des choses sociales, une bonne connaissance du milieu politique, et des pré-occupations plus engagées, on veillait sur tout ce que je disais à l'antenne. Chaque fois que je recevais un politicien comme invité, je savais que Marc Thibault, le directeur du service des affaires publiques de Radio-Canada, ou l'un de ses adjoints, serait à l'écoute ou se procurerait l'enregistrement de l'émission pour s'assurer que je n'avais pas empiété sur ses plates-bandes.

S'il m'arrivait d'y aller un peu trop en profondeur avec un politicien ou même de commencer à exprimer une opinion, mes réalisateurs recevaient une note de service et ils devaient me demander d'être plus prudente encore. Ou, pire, nous recevions l'ordre de ne plus inviter de politiciens. Nous laissions alors passer un peu de temps et nous recommencions.

Le seul politicien, d'ailleurs, qui ait résisté à la tentation d'*Appelez-moi Lise* fut Robert Bourassa lui-même. On racontait que son attaché de presse, Charles Denis, lui avait déconseillé de venir à l'émission. La seule interview que je fis avec lui fut à la radio, après que j'eus quitté la politique et alors que lui-même se préparait à faire un retour à la chefferie du Parti libéral du Québec, en 1981. Pourtant, nous nous connaissions assez bien. Nous nous étions vus à quelques reprises au cours des ans, et surtout lors de la préparation de la fête nationale des Québécois en 1975. Nos rencontres étaient alors privées.

18

Je fais mes guerres tambour battant

Si on surveillait le contenu de mes entrevues à *Appelez-moi Lise*, il avait été clairement établi avec Radio-Canada que le contrat qui me liait à cette société ne m'empêchait pas d'avoir certains engagements dans ma vie privée. J'avais vendu mes services comme animatrice et intervieweuse, mais je n'avais vendu ni mon âme ni ma liberté. Justement parce que je n'étais pas aux affaires publiques de la noble maison, je n'étais pas tenue d'être neutre en dehors de mon travail, tellement neutre que je n'aurais plus eu d'opinion sur rien, comme c'était souvent le cas des animateurs des émissions d'affaires publiques.

Il y avait des choses qui me tenaient à cœur et tout le monde savait que je n'allais pas me taire parce que j'animais une émission à vingt-trois heures tous les soirs.

J'étais toujours féministe et tout ce qui concernait l'avancement des femmes me touchait. Y compris le douloureux problème de la conception d'un enfant non désiré. Je savais tout de l'horreur que les femmes avaient vécue, avant nous, entre les mains d'avorteurs incompétents ou de faiseuses d'anges. Je parlais de la nécessité de la tolérance entre les femmes elles-mêmes. Je voulais que celles qui avaient besoin d'une interruption de grossesse puissent y avoir accès dans la dignité et la sécurité. Trop de femmes y avaient déjà laissé leur peau. C'est pourquoi le sort du docteur Henry Morgentaler me préoccupait. Je connaissais personnellement Morgentaler, que la justice québécoise continuait de harceler, même s'il avait été acquitté par un jury.

J'avais donné des conférences sur le sujet de l'avortement. Ma position était simple. Jamais il ne me serait venu à l'esprit de forcer une femme qui était contre l'avortement à se faire avorter de force, et je demandais la même attitude à l'égard de celles pour qui ce n'était pas un problème de conscience et qui ne voulaient pas donner naissance à un enfant qu'elles ne désiraient pas. Je ne voulais pas qu'on les y force malgré leur volonté. Je savais que les femmes ne se faisaient pas avorter de gaieté de cœur, que cette décision était toujours déchirante et qu'une femme ne la prenait jamais à la légère.

Quand il s'en trouvait une pour dire qu'elle ne pouvait pas avoir un enfant, je voulais qu'on l'écoute attentivement. Parce que, pour elle, c'était très grave. J'étais profondément convaincue que la naissance d'un enfant était un sujet privé que la femme pouvait discuter avec son médecin, ou son mari quand elle en avait un, mais certainement pas avec qui que ce soit d'autre. Et je le disais chaque fois que j'en avais l'occasion. Personne à Radio-Canada ne m'en a jamais fait le reproche. On a respecté mon opinion et j'ai été reconnaissante. Dans ces conditions, ce n'était que justice que je n'abuse pas de mon pouvoir à *Appelez-moi Lise* pour rompre le pacte que nous avions conclu.

Un jour, j'ai demandé un rendez-vous au ministre de la Justice, Jérôme Choquette, pour tenter de lui faire comprendre quel était le sort des femmes quand la justice leur refusait l'accès à de vrais médecins en cas d'avortement. Il m'a écoutée avec attention. Ma démarche a-t-elle été utile ou avait-il seulement accepté de recevoir la populaire animatrice d'*Appelez-moi Lise*? Je n'en sais rien, mais mon engagement me valut une lettre chaleureuse de Me Claude Armand Sheppard, l'avocat de Morgentaler.

Le 21 septembre 1973.

Mme Lise Payette,
Chemin de la Côte Ste-Catherine,
Appartement 768,
Montréal 257, Québec.

Ma chère Madame Payette,

J'ai été très touché par votre courage dans l'affaire de mon client, le Docteur Henry Morgentaler. Je connais assez le milieu dans lequel vous travaillez pour apprécier pleinement les risques que vous prenez de plein gré. Le courage moral est une qualité trop rare pour que je ne le salue pas chez vous.

Je pourrais ajouter que j'ai la plus haute estime pour l'intelligence et la lucidité de votre programme, mais d'autres l'ont déjà dit mieux que moi.

Votre talent et votre réputation ne font qu'augmenter la valeur de votre appui désintéressé à une cause difficile et ardue.

Je sais que nous avons des amis communs (dont les frères Héroux) et j'espère bien que l'occasion

145

se présentera bientôt de faire votre connaissance personnellement.

Cordialement,

Claude-Armand Sheppard.

Tout le courrier concernant mes engagements personnels, mes prises de position ou simplement mon travail d'animatrice n'avait pas toujours ce ton approbateur, loin de là. Pendant ces années, j'ai eu droit plus souvent qu'à mon tour aux «maudite grosse vache» et autres mots tendres du même genre. On m'a traitée d'assassin et de putain. Cependant, la plupart du temps, le courrier conservait un ton correct. J'ai eu droit à une dizaine de demandes en mariage, à des demandes de rendez-vous où je ne suis jamais allée et à des lettres dans lesquelles on me demandait mes «vieilles robes», lesquelles, hélas, appartenaient à la Société Radio-Canada. Il y avait quelque part aussi un «obsédé léger» qui m'écrivait régulièrement pour me parler de la «profondeur de mes décolletés». Il paraît que cela l'empêchait de dormir.

À l'intérieur de l'équipe technique de l'émission, une fois l'excitation du début passée, j'ai eu souvent l'impression d'être traitée comme un meuble. J'ai éprouvé le même sentiment qu'ont parfois les épouses devant des maris qui ne les voient plus. Je me souviens de la visite en studio, un jour, de l'actrice Marlène Jobert. Elle était arrivée avec des instructions précises pour l'éclairage, qu'elle avait remises aux éclairagistes. Elle exigeait un éclairage spécial pour faire l'émission car elle avait une longue cicatrice sur une joue, cicatrice qui disparaissait sous l'éclairage requis. Ces messieurs y travaillèrent pendant des heures et réussirent à la satisfaire. Puis ce fut mon tour. En me regardant dans le moniteur, je constatai que j'avais de grands cernes sous les yeux et que je semblais avoir dix ans de plus que la veille. Je le fis remarquer au chef éclairagiste, qui me répondit que j'avais le même éclairage que d'habitude. Je lui répondis en riant qu'évidemment cela n'avait aucune importance. Pourquoi prendre du temps pour ajuster mon éclairage puisque j'étais là tous les jours… ? Je ne suis même pas sûre qu'il ait bien compris ce que je voulais dire.

Durant la dernière année, j'avais accepté d'animer une autre émission pour la chaîne qui allait devenir Radio-Québec. Il me semblait juste d'essayer d'aider cette nouvelle chaîne éducatrice et culturelle à trouver un public. Il s'agissait d'une émission d'une heure par semaine, qui avait pour titre *Mêlez-vous de vos affaires*. Là, je pourrais discuter de sujets sérieux et touchant directement l'évolution de notre société. Je crois que ça satisfaisait aussi mon désir d'être plus utile, de faire servir ma popularité à autre chose que des émissions de variétés. Peut-être aussi sentais-je déjà les limites d'*Appelez-moi Lise*. J'avais sans doute atteint le «fameux plafond» dont Robert Gadouas m'avait parlé un jour en entrevue. Il m'avait raconté ce qu'il vivait, et sa situation l'avait conduit à un découragement tel qu'il devait se suicider peu de temps après. Cela me forçait à réaliser que je commençais moi aussi à sentir contre ma tête ce plafond imaginaire. Gadouas m'avait expliqué que le Québec était petit et que, dans le métier que nous faisions, il arrivait que nous atteignions le plafond assez rapidement, c'est-à-dire le maximum de ce que nous pouvions faire. C'était dangereux, disait-il. J'y pensais souvent. Et je sentais que le plafond, dans mon cas, n'était pas loin. *Appelez-moi Lise* se renouvelait chaque jour d'une certaine façon, à cause des invités différents qui y passaient. Mais souvent ces invités venaient pour la deuxième fois, quand ce n'était pas la troisième. Le bassin de personnalités était petit. On pouvait choisir de faire une émission jusqu'à l'écœurement des téléspectateurs. Ce n'était pas ce que je souhaitais.

Mon expérience à Radio-Québec n'a pas été très heureuse. Cette maison était déjà pourrie dans son cœur dès le début. Plusieurs des employés qu'on y avait engagés venaient de Radio-Canada. Ils y avaient apporté des conventions collectives et des définitions de tâches qui, si elles convenaient bien à Radio-Canada à cause du nombre d'employés, devenaient absolument insupportables à Radio-Québec, où on aurait dû travailler dans la bonne volonté et la légèreté. Cela faisait en sorte que, dès le début, on ne pouvait demander un verre d'eau à n'importe qui. Et il n'était pas question d'aller se le chercher soi-même, parce que alors on avait droit à un grief.

Le public ne m'a pas suivie à Radio-Québec. Ni moi ni aucun des autres qui s'y sont essayés. Il était même difficile, à l'époque, de capter Radio-Québec. C'était presque une prouesse technique. Pire encore, le climat de l'intérieur, un peu prétentieux, faussement intellectuel, surtout très «attendez, on va vous éduquer», a toujours transpiré à l'antenne. Personne n'a jamais trouvé de solution à ce problème. Dommage!

Dès janvier 1975, j'avais commencé à parler de mes problèmes existentiels à Jacques et à François. J'avais le sentiment d'avoir fait le tour de ce que la formule d'*Appelez-moi Lise* pouvait me permettre. Nous avions, à ce moment-là, cinq ou six réalisateurs, à qui il fallait expliquer que le secret de cette émission tenait à ce qu'on ne changeait pas trop les choses d'un soir à l'autre. À celui qui voulait que je présente l'autre profil pour faire différent, j'avais dû répondre qu'il n'avait rien compris à ce qu'on faisait là. Nous savions que, pour la prochaine saison, les réalisateurs avaient encore demandé du renfort et souhaitaient voir leur nombre augmenter un peu plus. Cela devenait invivable pour nous. Il y avait déjà trop de monde à qui il fallait plaire sur le plateau.

J'avais expliqué à Jacques et à François l'intérêt que nous avions tous à partir alors que l'émission se situait au sommet de la liste des cotes d'écoute. J'avais fait valoir auprès d'eux qu'il fallait éviter à tout prix de tomber dans la facilité et de se mettre à faire l'émission machinalement sans s'y amuser autant qu'au début. Ils étaient d'accord.

Peu de temps après, j'en ai parlé à la direction. Là, je crois qu'on a été sincèrement désolé. On a offert d'essayer de nous donner le nécessaire pour continuer. Nous avons parlé du trop grand nombre de réalisateurs et de la lourdeur de la structure, qui n'avait cessé d'augmenter depuis le début de l'émission. C'est en discutant avec eux que j'ai eu l'idée de leur offrir de faire l'émission en production extérieure, d'en devenir la productrice et de leur remettre chaque jour un enregistrement prêt pour la diffusion. Il me semblait qu'il serait plus facile ainsi d'en contrôler la qualité à l'extérieur de la grande maison, surtout avec une équipe plus légère, comme au début, quand Jean Bissonnette était le seul réalisateur.

L'idée leur a plu. De mon côté, je commençai à faire des démarches pour monter un studio. Il fallait tout acheter, à l'époque, car il ne se faisait pratiquement pas de production extérieure en télévision. Les studios tels que nous les connaissons aujourd'hui n'existaient pas. Je trouvai un lieu. On construisait depuis peu le complexe Desjardins. Jacques Boulanger y faisait son émission, le midi, devant le public. À l'étage au-dessus, juste en haut de l'escalier roulant qui part de la mezzanine, il y avait un grand espace qui aurait pu devenir un studio. Les propriétaires de l'immeuble étaient prêts à construire selon nos besoins. La direction de Radio-Canada aimait toujours l'idée. Un jour, tout est tombé à l'eau. Jean-Marie Dugas, l'un des patrons, m'a expliqué que les syndicats de la maison ne permettraient jamais qu'une production comme celle-là puisse se faire à l'extérieur de Radio-Canada. Le sort en était jeté. Nous allions faire nos dernières semaines d'*Appelez-moi Lise*. La production extérieure était oubliée.

Plusieurs années plus tard, après mon passage en politique, Jean-Marie Dugas, que je croisai un jour, me dit : «Tu n'avais qu'une quinzaine d'années d'avance pour ton studio.»

J'ai gardé beaucoup de courrier d'*Appelez-moi Lise*. Des lettres pleines de douceur et d'autres d'une méchanceté incroyable. J'en retiens trois. La première est un poème de Robert Choquette, daté du 12 février 1973.

Hommage sur deux rimes
À Lise Payette

Gare à vous si Lise utilise
Votre timidité
Ou votre humilité,
Car son esprit vous paralyse
En un temps moins que rien.
Mais comment faire bien,
Quand ce regard vous dévalise
Jusqu'au dernier secret ?

Que faire, en dernière analyse ?
Fournir son grain de sel,
Non sa goutte de fiel,
Car celui qui se formalise,

Le bec tout rétréci,
N'a pas sa place ici,
Ni celui qui se scandalise.

J'ai fini mon couplet,
À vous le pistolet,
Madame que j'appelle Lise.

Je garde aussi cette lettre du 14 février 1974, adressée par André Lavoie, de Radio CKVD, Val-d'Or, Abitibi :

Madame,
Je vous informe par la présente que vous me devez exactement la somme de $39 dollars et 47 cents ($39.47).

En effet, depuis la parution du dernier rapport du BBM (Bureau of Broadcast Measurement) sur les cotes d'écoute des différents postes de radio au Québec, j'ai constaté que j'ai perdu quelques auditeurs à 6 heures le matin; ceux-ci préférant dormir un peu plus tard pour ne pas manquer un tête-à-tête avec vous le soir.

Le nombre de mes auditeurs ayant donc diminué le matin, mon patron a jugé bon de diminué également quelque peu mon salaire.

Comme vous êtes la seule responsable de cette situation, je vous prie donc de me faire parvenir dans le plus bref délai la somme ci-haut mentionnée, faute de quoi je me verrai dans l'obligation d'entreprendre une campagne publicitaire à l'échelle nationale pour inviter les gens à se lever plus tôt le

151

matin. Partant, vous verrez également diminuer le nombre de vos téléspectateurs, et peut-être, que sais-je, votre salaire.

En espérant que nous pourrons facilement en arriver sur un terrain d'entente.

Je vous salue, Madame.

André Lavoie.

Appelez-moi Lise, comme *Les Couche-tard*, avait cultivé l'humour et l'esprit, la bonne humeur et la joie de vivre, et toujours dans une langue française respectée et respectable.

Le 31 mai 1975, ce fut la dernière. Le lendemain de l'émission, je reçus un télégramme signé André Rufiange : «Hier soir, j'ai pleuré pour la première fois depuis fort longtemps.»

Nous avons tous pleuré, moi la première. Sur l'épaule de Jacques, puis sur l'épaule de François, mes complices et mes amis. Nous savions intimement que nous venions de vivre trois années privilégiées.

Louise Cousineau, critique de télévision de *La Presse*, a peut-être pleuré aussi puisqu'elle avait écrit, quelques jours avant la dernière d'*Appelez-moi Lise* :

Déjà, la nostalgie...

Même si elle ne nous quitte que le 30 mai, je m'ennuie déjà. J'éprouve la même nostalgie que lorsque je découvre avoir épuisé les livres d'un auteur favori et le même désarroi causé par l'incertitude d'en trouver un autre aussi bon.

Appelez-moi Lise s'en va. L'émission aura duré trois ans. Mme Payette nous aura habitués à une qualité, à un professionnalisme rares. D'ailleurs

Radio-Canada reconnaît implicitement l'impossibilité de la remplacer; 11 h en septembre prochain ne nous ramènera pas un autre talk-show.

Depuis près de trois ans, nous avions pris l'habitude de sa performance, oubliant peu à peu d'admirer la prouesse d'interviewer durant la même émission un poète, une grand-mère, un politicien et un joueur de hockey. Ça paraissait facile, ça n'avait rien de forcé. Comme du Chopin joué par un bon pianiste.

Bien sûr, je n'étais pas toujours d'accord avec ses choix d'invités et sa façon de les traiter. Je n'ai jamais partagé son goût des joueurs de hockey et j'aurais aimé qu'elle malmenât les politiciens un peu plus (encore que ça devait lui être interdit, son émission relevant du service des variétés et non des affaires publiques, qui seules, selon la règle de Radio-Canada, peuvent se permettre la controverse).

Il est normal qu'elle n'ait pas plu à tout coup pendant près de trois ans. Aucune lune de miel ne dure aussi longtemps. Mais ce qui est certain, c'est qu'elle a rarement ennuyé. C'est une qualité hélas bien rare au Québec, où nous prenons l'habitude de l'ennui à la petite école, si bien qu'à l'âge adulte nous trouvons ça tout naturel et endurons sans gémir des gens archiplates.

Mme Payette nous a fait rencontrer un tas de monde, nous a fait en quelques questions pénétrer dans leur univers. Le format nécessairement statique d'une grande partie de l'émission aurait pu être rebutant : l'esprit de l'animatrice nous faisait oublier notre besoin de voir bouger.

Nous ne l'avons jamais vue regarder le régisseur du coin de l'œil pour savoir si le temps de l'interview achevait, nous ne l'avons jamais vue prendre

153

l'épouvante durant les dernières secondes; ça tombe toujours juste à point, au moment précis. Comme dirait l'autre, il faut le faire.

Et puis elle nous a fait rire, et cela c'est capital. Il n'y a pas longtemps, elle-même a été prise de fou rire pendant une entrevue-happening avec Michel Louvain. C'était tellement communicatif que tous ceux à qui j'en ai causé le lendemain matin m'ont avoué avoir ri aux éclats aussi. Jamais plus Michel Louvain ne me sera totalement indifférent.

Les journaux depuis quelque temps malmenaient beaucoup Lise Payette, lui trouvant tel ou tel défaut. Finalement, ce n'était que prétextes : elle aura été une autre victime de notre complexe collectif d'infériorité, voulant qu'au Québec l'on s'attaque avec véhémence à ceux d'entre nous qui osent réussir. Un succès de courte durée est supportable. S'il dure trop longtemps, il nous semble profondément suspect et étranger et cela dans toutes les sphères d'activité.

D'ici le 30 mai, regardez-la bien. L'an prochain, nous ne l'aurons qu'une heure par semaine, dans un genre d'émission qui n'est pas encore déterminé. Tout ce que l'on peut prévoir, c'est que ce ne sera pas ennuyeux. Si toute la programmation future de la télévision nous inspirait la même confiance, ce serait fantastique.

Moi, j'avais encore du pain sur la planche. C'est vrai que Radio-Canada m'avait proposé une émission d'une heure le samedi soir. J'avais suggéré de l'appeler *Lise Lib* et on avait accepté cette idée. L'émission serait donc diffusée juste avant le hockey. Pourtant, je n'avais pas encore eu le temps d'y penser, parce que, bien avant de savoir qu'*Appelez-moi Lise* en était à sa dernière saison, j'avais accepté la présidence de la fête nationale du Québec et j'y travaillais comme une dingue depuis des mois. Nous étions à trois semaines de l'événement quand *Appelez-moi Lise* s'arrêta. Je vivais à cent à l'heure et je savais que, là non plus, je n'avais pas le droit de me tromper.

19

Adieu le mouton, salut les Québécois!

Tout avait commencé par un appel téléphonique d'un monsieur que je ne connaissais ni d'Ève ni d'Adam et qui s'appelait Jean LeDerff. Nous étions à l'automne 1974. Ce monsieur me proposait la présidence de la fête de la Saint-Jean-Baptiste de 1975. J'écoutais attentivement, parce que la Saint-Jean avait toujours représenté pour moi une fête importante. J'ai raconté déjà le souvenir merveilleux que je gardais de ma grand-mère, Marie-Louise, assise par terre, les fesses sur un journal, sur le bord du trottoir, rue Sherbrooke, sa main dans la mienne pour voir le défilé. Et je n'étais pas près d'oublier celui de 1968, que j'avais vécu près de ma mère, Cécile, qui agonisait à l'hôpital Notre-Dame pendant qu'on se battait sous ses fenêtres. Pour quitter l'hôpital, tard dans la nuit, j'avais dû emprunter le couloir du service des urgences parce que toutes les autres portes étaient barricadées, et j'avais constaté que ce service débordait de blessés de la Saint-Jean. Je savais que Pierre Elliott Trudeau avait choisi de rester seul sur la tribune d'honneur ce soir-là, provoquant encore un peu plus la colère des Québécois, ce qui ne l'a pas empêché d'être élu Premier ministre du Canada le lendemain.

J'ai déjà raconté tout ça. Ma première réponse à ce monsieur LeDerff fut prudente : « Je ne veux pas d'une présidence d'honneur. Si j'accepte, je veux une vraie présidence, avec les pleins pouvoirs. Je veux organiser la fête comme je l'entends et je veux mon entière liberté. »

Je m'attendais à ce qu'il me dise que j'en réclamais beaucoup, ou qu'au mieux il me demande du temps pour consulter ses patrons. Je savais aussi que la Société Saint-Jean-Baptiste n'avait plus la cote d'amour depuis 1968. Il y avait bien eu la fête organisée par Jean Duceppe sur l'île Sainte-Hélène, qui avait bien marché malgré l'orage, mais celle qui avait eu lieu dans le Vieux-Montréal n'avait pas fonctionné très bien et elle avait surtout perdu tout son sens. Beaucoup de gens ne voulaient même plus y aller, de crainte que l'événement ne tournât mal. Je savais tout cela. J'attendis sa réponse. Je me disais que je n'accepterais rien de moins que ce que j'avais demandé et que je dirais non dès qu'il m'aurait répondu que ça posait un problème. Il y eut un assez long silence. Puis, à ma grande surprise, il me donna son accord. J'aurais carte blanche.

Je ne savais plus quoi dire. Au fond, peut-être bien que j'avais cherché une façon élégante de me défiler, et j'étais maintenant prise au jeu. J'avais carte blanche. Pour faire quoi ? Il me dit que la Société Saint-Jean-Baptiste n'avait pas d'argent, qu'elle avait encore des dettes des fêtes de l'année précédente et qu'il fallait payer celles-ci avant de commencer à penser aux fêtes de 1975. Je m'entendis lui répondre qu'il valait mieux se rencontrer pour en parler et je lui donnai rendez-vous pour le jour suivant.

Dès que j'eus raccroché, je m'interrogeai sur ce que je venais de faire. J'avais une émission d'une heure par jour à Radio-Canada, plus une émission d'une heure par semaine à Radio-Québec, et j'avais une maison à faire fonctionner; nous étions cinq adultes à y vivre à plein temps, plus, heureusement, une aide extraordinaire qui s'appelait Antoinette Duclut et qui m'était aussi essentielle que mon bras droit. Mais où allais-je prendre le temps d'organiser les fêtes de la Saint-Jean?

J'avais heureusement appris à laisser à la porte du studio, chaque jour en sortant, le personnage que j'étais devenue, mais je savais aussi que mes enfants trouvaient que j'étais un peu trop connue pour leur tranquillité. J'avais beau leur expliquer que, s'il y avait des désavantages, il y avait aussi souvent des avantages. Nous étions pratiquement toujours assurés d'une bonne table dans un restaurant même quand il n'y avait plus de place. Ils me répétaient qu'ils aimaient mieux passer inaperçus. Cela était de plus en plus difficile. Avais-je le droit de leur imposer en plus une mère présidente de la fête de la Saint-Jean?

J'avais cessé depuis longtemps d'entendre les commentaires des gens qu'on croisait un peu partout. Mes enfants, qui souvent marchaient derrière moi, les entendaient toujours. Certains de ces commentaires étaient agréables, mais d'autres, non. La plus jeune de mes enfants s'était mise à m'appeler Mme Payette, imitant en cela Jacques Fauteux qui n'avait jamais voulu m'appeler Lise. Elle ne m'appelait plus jamais maman, ce qui m'étonnait et me chagrinait.

Mon fils, qui fréquentait alors l'université de Montréal, m'avait raconté qu'il m'avait reniée dans un ascenseur bondé de gens qui discutaient de l'émission de la veille. Quelqu'un s'était rendu compte qu'il s'appelait aussi Payette et lui avait demandé s'il était parent avec l'animatrice dont on parlait. Il avait répondu par la négative, pour avoir la paix. Je l'avais rassuré en lui disant qu'il avait bien fait et que j'aurais sans doute fait de même dans des circonstances similaires. La dernière chose que je souhaitais, c'était que mes enfants soient obligés de répondre de mes paroles et de mes actes.

Nous étions très unis, dans cette maison. Laurent avait réussi le tour de force de se faire accepter par les enfants et de devenir leur confident et leur ami. Cette maison était redevenue heureuse et j'avais envie d'en profiter, d'y passer plus de temps, d'être plus près des miens. Et voilà que je venais de m'embarquer dans un truc compliqué parce qu'un parfait inconnu me l'avait demandé.

J'ai passé une nuit entière à me demander pourquoi j'avais accepté cette proposition aussi rapidement. J'ai tenté de me rassurer en me disant qu'il serait toujours temps de faire marche arrière quand j'aurais ce monsieur en face de moi. Pourtant, je savais déjà qu'à cause de ma Marie-Louise et de sa fidélité au défilé du 24 juin, à cause de Cécile et de cette horreur de 1968, la tentation serait grande de me jeter à corps perdu dans la recherche de ce que pouvait être la fête d'un peuple. Mes références étaient de France. Mes six ans passés dans ce pays m'avaient permis de vivre le 14 juillet avec les Français. Mais, en France, le 14 juillet, on fête la prise de la Bastille, un événement historique. Que fêtait-on ici le 24 juin?

Le lendemain, je rencontrai Jean LeDerff avec Laurent. C'était un homme assez jeune, mais aux cheveux et à la barbe blancs. Je lui fis part de mes réflexions et je lui demandai de m'expliquer ce qu'il voulait dire par «carte blanche». Il me répéta que je pourrais faire ce que je voulais. Il fallait d'abord trouver du financement, parce qu'il n'y avait pas un sou nulle part et qu'il fallait d'abord payer la dette de l'année précédente avant de commencer à bouger. Quand je lui dis que je ne voulais pas de défilé, que le souvenir en était trop mauvais depuis 1968, je m'attendais à ce qu'il me réponde que la Société Saint-Jean-Baptiste y tenait. Cela aurait clos le débat. Mais il me laissa poursuivre. Je parlai d'une grande fête populaire dont aucun individu ne serait exclus, d'une fête ouverte où les gens se sentiraient en sécurité et à laquelle ils seraient fiers de participer. Par contre, je voulais qu'on mette de côté les politiciens, qui n'auraient pas de tribune d'honneur, ainsi que les commanditaires, qui n'auraient leurs noms écrits nulle part en grosses lettres même s'ils avaient donné de l'argent pour la fête. Je lui indiquai aussi que je voulais un tout petit comité, que je choisirais moi-même, pour travailler sur le projet avec moi. Si cela devait se faire, je voulais commencer tout de suite, parce que nous n'aurions pas trop des mois qu'il restait pour tout mettre sur pied.

Il parut enchanté de la rencontre. Il retourna raconter tout cela à son conseil d'administration, en maintenant que j'avais carte blanche. Je le trouvais bien audacieux. Plus j'y pensais, plus le projet me tentait. Je lui avais aussi expliqué qu'il faudrait trouver assez d'argent pour payer tout le monde raisonnablement, sauf moi. Je ne voulais pas un sou. Comme j'allais cependant demander à certaines personnes de travailler pendant des mois à l'organisation de la fête, je voulais qu'elles soient payées. Il était d'accord sur le principe, mais nous nous demandions tous les deux où nous trouverions l'argent. Ce fameux argent sans quoi rien n'est possible, c'est bien connu.

20

Je cherche un million

Je savais depuis trois ans ce qu'était un million de téléspectateurs. Je cherchais maintenant un million de dollars pour la fête nationale. Peut-être plus. Ce n'était pas du tout la même histoire.

J'avais expliqué à Laurent que je souhaitais qu'il fasse partie de mon comité d'organisation. J'avais l'impression que nous ne nous verrions plus du tout s'il en était autrement, tellement j'allais être occupée. Nous vivions ensemble depuis trop peu de temps pour que j'envisage d'ajouter à mon horaire une somme de travail aussi importante sans qu'il participe au projet. De plus, Laurent était un bon conseiller. Je pouvais lui exposer mes plus folles idées et sa nature généreuse faisait en sorte qu'il avait toujours plutôt envie de m'aider à les réaliser que de m'empêcher de le faire.

J'avais aussi contacté Jean Bissonnette pour lui demander de se joindre à nous afin d'apporter ses suggestions sur le genre de spectacles que nous pourrions organiser. Il avait accepté tout de suite, avec enthousiasme. J'avais aussi demandé à un autre ami, Jean-Marc Prieur, de compléter le groupe. Jean-Marc avait été le représentant d'une agence de publicité avec laquelle je travaillais dans le dossier des marchands Métro au moment de la radio. Je le connaissais bien et je le savais capable de dépassement. Je voulais des gens sûrs autour de moi. Avec Jean LeDerff, qui allait, lui, représenter la Société Saint-Jean-Baptiste, ces personnes formaient le comité organisateur.

À notre première rencontre, j'avais insisté sur le fait que je ne voulais pas de défilé. Nous étions tous tombés d'accord très rapidement. Il fut convenu de «fabriquer» un événement. Nous voulions une fête du peuple à laquelle tout le Québec pourrait adhérer.

Lors des toutes premières réunions, la décision fut prise d'éliminer d'office trois catégories de personnes : les représentants de la politique, de la religion et du monde des affaires. Il n'y aurait aucune invitation aux élus de quelque palier que ce soit, ni aux autorités religieuses, et la publicité ne serait pas permise sur le site de la fête. Une fois cette décision prise, nous avons ressenti un grand soulagement, convaincus que nous étions d'avoir éliminé tout sujet de colère et de frustration.

Nous n'allions plus parler de saint Jean-Baptiste, patron des Canadiens français, mais de la fête nationale des Québécois. C'était tout un virage.

En quelques semaines, nous avons trouvé un concept qui allait nous porter jusqu'à la fête. Nous n'y dérogerions pas. Ce concept célébrerait «l'émergence d'un peuple», son arrivée à maturité. Sa prise en main de son propre destin dans la confiance et la fierté.

Toute la fête de 1975, année internationale de la Femme décrétée par les Nations unies, allait devenir la fête des Québécoises et, par elles, du peuple tout entier. Les femmes avaient aidé ce peuple à survivre, à grandir et à se dépasser. Il était temps de le dire.

Ayant renvoyé le défilé aux oubliettes, il fut facile de reléguer le mouton dans l'armoire aux balais. Ce fut fait. Nous voulions que cette fête soit celle de tous les Québécois sans exception. Nous savions que ce ne serait pas une mince tâche que de raccommoder les déchirures encore profondes et douloureuses entre les différentes cultures afin que ce peuple québécois puisse être enfin uni pour la première fois.

Nous cherchions aussi un lieu de rassemblement pour y installer la fête. Dans un premier temps, nous avons pensé au parc Jeanne-Mance. Nous avons réalisé rapidement que le parc était trop petit pour ce que nous voulions y faire. Nous en étions à parler d'une fête qui durerait cinq jours et cinq nuits sans interruption. Le 24 juin 1975 tombait un mardi. La fête commencerait donc le vendredi soir et se poursuivrait jusqu'au mardi soir. Nous approchions de Noël quand Jean Bissonnette suggéra d'occuper tout le mont Royal. L'idée nous parut si folle que nous nous sommes regardés en silence en nous demandant si nous étions pris de la folie des grandeurs.

Ces rencontres avaient lieu chez moi, souvent autour d'un lunch parce que c'était le meilleur moment pour réunir tout le monde. J'avais heureusement Antoinette, qui cuisinait admirablement et avait plaisir à nourrir toute l'équipe. Cette table était drôlement vivante.

Petit à petit, l'idée germa de créer une loterie spéciale afin de recueillir le million dont nous avions besoin. Mon travail, depuis le début, consistait surtout à aller chercher ce dont le comité avait besoin pour fonctionner. J'entrepris donc des démarches pour le financement.

Les premiers vingt-cinq mille dollars nous furent finalement remis par Robert Bourassa lui-même, le Premier ministre du Québec, par le biais de sa «petite caisse», lors d'une rencontre à Québec où je m'étais rendue avec Laurent. Cette petite caisse était mise à la disposition du Premier ministre pour des cas de ce genre. Il nous promit un autre versement de vingt-cinq mille dollars après la fête et nous dit que, si nous avions un déficit raisonnable, il s'occuperait de le régler à la toute fin. Nous ferions tout pour ne pas en avoir.

Un autre don de vingt-cinq mille dollars nous fut remis par Paul Desmarais, dans son bureau de Power Corporation. Il rit lorsque je lui dis que, pour une fois, il donnerait de l'argent qui ne lui rapporterait rien; il verrait peut-être son nom dans un programme officiel, mais nulle part sur une affiche durant la fête.

Roger Lemelin me remit aussi vingt-cinq mille dollars quelques jours plus tard, au nom de *La Presse*. Nous étions en affaires.

Nous avons fait brancher le téléphone.

Sur le plan financier, nous avions trois objectifs : payer les dettes des années précédentes, rémunérer raisonnablement tous ceux qui viendraient travailler avec nous, et ne laisser aucune dette à la fin de la célébration. Il s'était ajouté un quatrième objectif, je l'avoue : celui de ne pas laisser un énorme profit dans la caisse de la Société Saint-Jean-Baptiste; un cadeau en argent dont on ne pourrait plus contrôler l'usage par la suite. Surtout qu'en acceptant l'organisation de la fête de 1975 nous étions devenus responsables du paiement des dettes antérieures, dont certaines remontaient à 1963.

Je pris contact avec Raymond Garneau, qui était alors ministre des Finances du Québec. Après quelques conversations téléphoniques, il finit par me donner rendez-vous à Québec, au café du Château Frontenac, un samedi matin. C'était l'hiver mais il faisait un soleil magnifique. La rencontre, en dehors des murs du pouvoir, prit rapidement un ton amical. Il me raconta d'abord les misères de ce fichu métier de ministre, puis il m'expliqua que cela laissait peu de temps pour la vie personnelle. J'écoutais bien. Il avait visiblement le goût de parler de tout et de rien. Je finis par lui expliquer le projet de la fête nationale et pourquoi nous avions besoin d'autant d'argent. Je parlai beaucoup de l'année internationale des Femmes, pour laquelle le gouvernement du Québec avait annoncé bien peu de projets, et j'insistai aussi sur ce qui était peut-être une sorte de dernière chance de sauver la fête, qui était tombée bien bas au cours des dernières années. C'était à son tour de m'écouter. Il le fit avec attention et bienveillance, si bien que je repartis trois ou quatre heures plus tard avec la promesse d'une loterie qui allait s'appeler «la Québécoise», mais dont nous aurions l'entière responsabilité de vendre les billets. Le ministre nous refusait la permission d'utiliser le réseau de vente habituel des loteries existantes. J'avais accepté quand même.

J'étais folle de joie parce qu'avec cette promesse tous nos projets devenaient possibles. Rien ne pourrait plus nous arrêter. Je me rassurai quant à la vente des billets en me disant qu'il fallait s'attaquer aux problèmes un par un. Je suis rentrée à Montréal très excitée, parce qu'avec cette loterie tout le projet de la fête se trouvait financé. Mon comité allait me faire un triomphe. Le compte à rebours était vraiment commencé.

On confia à Jean Bissonnette l'entière responsabilité des scènes et du contenu des spectacles. Il parlait déjà de sept ou huit scènes éparpillées sur le mont Royal. C'était beau, mais encore fallait-il obtenir les autorisations nécessaires pour occuper le mont Royal pendant cinq jours et cinq nuits.

Je pris rendez-vous avec le maire Drapeau, qui m'invita à déjeuner au restaurant *Hélène de Champlain*, où il avait sa salle à manger privée.

Nous nous connaissions déjà, monsieur le maire et moi, et, malgré tous les défauts qu'on pouvait lui trouver à l'époque, j'avais plaisir à converser avec cet homme cultivé chaque fois que je le rencontrais. Ce jour-là, il a dû être fasciné de se trouver en face de quelqu'un d'aussi fou que lui. Le projet des fêtes sur la montagne ne pouvait que tomber dans ses cordes, lui qui désirait tellement que Montréal brille au firmament des villes. Lui aussi, j'ai commencé par l'écouter. Longuement. Il m'a parlé de ses jeux Olympiques, des problèmes immenses auxquels il devait faire face, et de la formidable publicité que cela représentait pour Montréal dans le monde. Quand il eut terminé, je lui ai parlé de mes projets. Je l'ai vu esquisser un petit sourire presque tendre pendant que je parlais, parce que je lui parlais de sa ville avec autant d'amour qu'il en avait lui-même. Il aimait mon propos sur le peuple uni durant la fête, sans exclusion d'aucune sorte, de l'ouverture d'esprit que nous voulions manifester et de la chaleur de l'accueil que nous voulions réserver à tous les Québécois durant l'événement. Je devinais bien qu'il y voyait aussi son intérêt, car cette fête de la fierté juste avant ses jeux Olympiques ne pouvait que le servir. À la fin de tout, quand j'eus fait valoir que ce peuple méritait mieux que ce qu'il avait eu jusque-là comme fête, il finit par me dire : «Si vous avez pensé au mont Royal, vous méritez de l'avoir.» C'était gagné.

Il m'offrit, lors de cette même rencontre, le soutien des services de la Ville, mais il me conseilla de rencontrer les responsables des services de la police le plus rapidement possible, afin qu'ils se sentent dans le coup depuis le début, et non pas simplement obligés de faire leur métier. Ce conseil devait s'avérer de la plus grande importance.

Mon comité grandissait doucement, au fur et à mesure des besoins et du développement des projets. Jean Bissonnette me mit en relation avec quelqu'un qui allait jouer un très grand rôle dans ma vie et devenir un grand ami, Jean Fournier. Jean avait été l'un des responsables de la Superfrancofête de Québec en 1974. C'était un organisateur-né. Il accepta de devenir le responsable de la logistique de la fête sur le mont Royal. À partir de ce moment, il fut de toutes les rencontres. Je le présentai aux diverses autorités. Une fois cette première démarche faite, c'est lui qui prit la relève. Je ne devais intervenir que pour des demandes spéciales ou en cas de difficulté. Nous allions former un formidable tandem pendant tous les mois qui allaient suivre.

Je rencontrai Maurice Custeau, qui dirigeait Loto-Québec. Il savait que nous avions obtenu une loterie, le gouvernement lui ayant demandé d'en surveiller l'impression des billets. Je sollicitai ses conseils pour la mise sur pied d'un réseau de vente de nos deux millions de billets.

Il me suggéra de m'adresser au Mouvement Desjardins, qui disposait de caisses partout au Québec et qui pourrait certainement nous servir de réseau. Je rencontrai Alfred

Rouleau, alors président du Mouvement Desjardins, et une entente fut conclue avec lui pour la vente de «la Québécoise» dans les semaines qui allaient précéder la fête du 24 juin.

Je m'étonnais souvent du peu de résistance que je rencontrais dans mes démarches. À l'évidence, l'idée d'une fête qui aurait une autre allure que ce qu'on avait connu jusque-là plaisait, et le côté sérieux de notre organisation rassurait les personnes en place. Le message paraissait positif et notre audace était bien accueillie par tous ceux que je rencontrais. Parfois, je traduisais certains sourires par : «Pourvu que vous ne vous cassiez pas la gueule…», mais, comme je n'émettais jamais un doute sur notre réussite, je finissais toujours par obtenir gain de cause.

La réponse des artistes à Jean Bissonnette était tellement formidable qu'il craignait de devoir dire à certains qu'il n'y avait pas de place pour eux, à moins qu'il n'y ait des spectacles le matin et l'après-midi aussi. Les spectacles du soir étaient pratiquement déjà planifiés. Je tenais beaucoup à une soirée consacrée exclusivement aux femmes et qui serait véritablement la fête des Québécoises. Ce fut la soirée du 23 juin qui fut choisie. Le 24, nous présenterions Jean-Pierre Ferland accompagné de dix chanteuses vedettes qui interpréteraient uniquement ses chansons. Il nous fallait une grande scène, immense, qui constituerait la scène principale. Des démarches furent entreprises pour en fabriquer ou en acheter une.

Suivant le conseil du maire Drapeau, je pris rendez-vous avec l'état-major de la police de Montréal, tôt un matin. Jean Fournier m'accompagna. J'avais préparé mon discours et j'avais déjà quelques plans sur papier, mais je n'avais absolument pas prévu ce qui allait se passer. Cette rencontre faillit bien être mon Waterloo.

21

C'est la police... bouboum... bouboum...

Jean Fournier se rappellerait probablement mieux que moi la date précise de ce rendez-vous avec l'état-major de la police de Montréal. Je me souviens seulement que nous avions au préalable fait le tour de ce qu'il fallait dire pendant la rencontre. Notre stratégie était de jouer cartes sur table avec les policiers. De tout raconter sans rien omettre. Nous aurions notre propre service de sécurité sur le site. Nous ne voulions pas d'intervention policière qui n'aurait pas été autorisée expressément par nous auparavant. Il restait à leur vendre ce rôle tout à fait nouveau auquel ils n'étaient pas habitués.

Nous étions toujours très ponctuels à nos rendez-vous, et nous le fûmes encore plus ce jour-là. Nous avions le fou rire car nous nous étions demandé juste avant d'entrer, rue Gilford, dans l'immeuble de la police, si nous n'avions rien à nous reprocher, pas de tickets de stationnement impayés. Rien. Nous étions blancs comme neige, donc confiants de pouvoir ressortir de là sans trop de difficulté.

On nous conduisit dans une drôle de pièce, plutôt sombre, avec une multitude d'écrans allumés tout au fond.

Nous avons deviné au premier coup d'œil qu'il s'agissait de la salle de contrôle de la police. Nous entendions des bruits de voix, mais nous ne voyions personne. On nous pria de nous asseoir à une petite table en bois derrière laquelle il y avait deux petites chaises. Nous nous trouvions dans la partie éclairée de la pièce. Une fois assis, nous avons constaté que la pièce jouxtait une mezzanine qui se trouvait dans le noir, à peine éclairée par les écrans. C'était trop loin pour que nous puissions suivre ce qui se déroulait au fond. On nous demanda d'attendre. Nous avions déjà cessé de rire, pour prendre notre air le plus sérieux et le plus respectable.

Nous ne savions pas exactement qui allait nous recevoir. Nous avions imaginé que la rencontre aurait lieu dans un bureau ordinaire avec peut-être une ou deux personnes. Nous nous regardions, Jean et moi, sans oser ouvrir la bouche.

Une quinzaine de minutes plus tard, nous avons vaguement deviné que des gens venaient de prendre place sur la mezzanine derrière une longue table. Deviné, parce que, à cause de la pénombre qui les dissimulait, nous aurions été incapables de dire s'ils étaient six, sept ou huit. Enfin, une voix forte nous demanda l'objet de notre visite.

Je commençai par nous présenter, en précisant pourquoi Jean Fournier m'accompagnait et quel serait son rôle par la suite. Je leur racontai tout depuis le début : pourquoi j'avais accepté la proposition de Jean LeDerff, ce que j'entendais faire, quel serait notre concept et comment nous étions en train de monter l'organisation.

Pendant que je parlais, je me demandais ce que nous faisions là. Pourquoi avais-je cette impression d'être une accusée et pourquoi mes juges n'avaient-ils pas le courage de montrer leur visage? J'étais très mal à l'aise, mais je possédais bien mon dossier. Je réussis à me rendre jusqu'à la fin en ayant bien exposé ce que nous attendions de la police, c'est-à-dire surtout de la coopération, de la souplesse et de la bonne volonté. Quand j'arrêtai de parler, il y eut un silence.

Suivirent les formules d'usage. On me remercia d'être venue moi-même expliquer mon projet. On me dit que la police savait habituellement ce qu'elle avait à faire dans ce genre d'événement. Ensuite, quelqu'un d'autre, d'une voix très autoritaire, ajouta : «Vous savez, madame, vous êtes nouvelle dans ce genre d'organisation, mais nous, nous avons l'habitude de ces événements. Que vous le vouliez ou non, ça attire toujours des sauvages. Et ça, vous n'y pouvez rien changer.»

Sans perdre mon sang-froid, je lui répondis du tac au tac : «Je suis contre toute violence, mais savez-vous que même moi, ici, si vous continuez à me traiter de sauvage, je pourrais me fâcher, monter sur l'estrade, et vous frapper en vous traitant de chien sale.»

Le silence était maintenant de plomb.

J'entendis Jean Fournier avaler sa salive. J'avais peur d'être allée trop loin. Il n'y avait aucun moyen de rattraper ce que j'avais dit. Personne ne parlait. Quelques secondes plus tard, il y eut un petit rire venant de la mezzanine.

J'inspirai profondément et fis mon plus beau sourire avant de déclarer qu'il n'y avait rien de pire que ce type de langage pour susciter une telle réaction. Je promis que, sur le mont Royal durant la fête nationale, il n'y aurait ni sauvages ni chiens sales, mais seulement des Québécois. Certains d'entre eux y viendraient pour fêter et d'autres, hélas, pour travailler. Dans les deux cas, les choses se feraient dans le respect de chacun. Je m'engageais à défendre la police si elle était prise à partie par qui que ce soit, mais je demandais à la police de se plier aussi à notre façon de voir et de nous laisser maîtres des interventions. Je leur dis que nous espérions que tout se passerait bien et que nous ferions le nécessaire pour que ce soit un succès. Je voulais une police discrète et sans uniforme, si possible. Je savais que c'était beaucoup demander, mais leur réputation était à son plus bas et ils le savaient.

Il y eut un nouveau silence.

Après un moment, l'un d'entre eux se leva et descendit les cinq ou six marches qui le séparaient de notre table, tout en bas. On entendit même, à ma grande surprise, quelques applaudissements. Le premier fut rapidement suivi par tous les autres. Je n'avais jamais vu autant de galons dorés dans une seule pièce. Ils souriaient et ils m'ont tendu la main à tour de rôle en me disant que je pouvais compter sur eux. Deux d'entre eux furent délégués comme coordonnateurs des activités sur le mont Royal, l'inspecteur Yvan Tessier et l'assistant-inspecteur-chef André De Luca. Ces deux hommes allaient devenir mes amis.

Dorénavant, chaque fois qu'il serait question de sécurité sur le mont Royal, Tessier et De Luca assisteraient aux réunions. Ils feraient partie de l'équipe à part entière et je crois qu'ils ont dû être très impressionnés par notre sérieux pendant toute la durée des préparatifs.

André De Luca, en particulier, avait la réputation d'être un dur. Nous avons bien travaillé ensemble et, je dois l'avouer, nous avons pleuré quand nous nous sommes quittés à la fin des festivités.

Quand toutes ces rencontres furent terminées, le comité, en plein hiver, dans la neige, se sentit prêt à annoncer aux journalistes le calendrier des multiples activités de la fête nationale. La première conférence de presse eut lieu au Chalet de la montagne par une soirée glaciale et étoilée. Le projet était lancé. Sous le thème «Tenez ben vos tuques», nous avons annoncé le rendez-vous de cinq jours à compter du 20 juin 1975 sur le mont Royal. C'était l'entrée en fonction de Robert et Hélène Paradis, qui allaient devenir les piliers essentiels de toutes les relations avec les journalistes avant, pendant et après la fête nationale.

Jean Bissonnette s'est libéré complètement de toutes ses autres responsabilités pendant les deux derniers mois des préparatifs. Il assistait à toutes les répétitions, intervenait partout, faisait écrire des spectacles complets, engageait des gens, les encourageait, et dirigeait tout d'une main de maître.

Autour de lui, Claude Fleury, Guy Savard, Normand Choquette, Claude Fortin, Jean Fleury et Jacques Despatie, et combien d'autres! Mouffe, Jacqueline Barrette et Andréanne Lafond travaillaient aux spectacles des femmes, Jean-Claude Girodo montait le grand prix cycliste, et Pierre Daigneault, celui des violoneux. Les huit scènes seraient remplies le matin, l'après-midi et le soir. Nous savions déjà que plusieurs groupes culturels — japonais, coréens, portugais — feraient partie de la fête et qu'ils en étaient fiers. L'Orchestre symphonique de Montréal occuperait la grande scène en soirée avec André Gagnon comme soliste et Léon Bernier à la direction. Tout se précisait.

Laurent Bourguignon assumait l'organisation du financement de la fête. Il travaillait de très près avec le

Mouvement Desjardins, devenu notre distributeur de billets, et il coordonnait la levée de fonds et l'approbation des dépenses.

Jean-Marc Prieur était responsable de toute la publicité. Il développait les concepts publicitaires de la loterie, puis de la fête elle-même. «Faut fêter ça» était devenu le slogan que l'on allait voir partout. Et Louise Forestier chantait à la radio : «Adieu le mouton, salut les Québécois… Faut fêter ça, tout le long du temps que dure le tam-tam.»

Jean Fournier s'était entouré d'une formidable équipe et veillait à l'organisation. La salle de commande par où passaient toutes les communications était composée essentiellement de quelques personnes : Paul Masse, Daniel Rocque, Françoise Labarre et Jacques Renaud. Ces personnes, à tour de rôle, jour et nuit, seraient mises au courant de tous les problèmes, s'il y en avait, et elles devraient y apporter des solutions immédiates, pendant toute la durée de la fête. Des rencontres eurent lieu avec les pompiers et avec les médecins chargés de mettre sur pied les services de soins de santé nécessaires pour un tel événement. Les décisions finales, sur le site, seraient prises par un groupe de huit personnes, dont le comité organisateur, un représentant des relations publiques, Jean Fournier et moi-même. C'est pourquoi nous avons décidé que j'habiterais une roulotte, près de la grande scène, pendant toutes les activités.

Nous avons prévu un hôpital de campagne sur place, avec tout le personnel nécessaire. Nous avons même fait préparer une salle d'accouchement, afin de ne rien laisser au hasard, et nous espérions vraiment avoir «notre» bébé de la fête nationale. Nous avons essayé de penser à tout, absolument tout.

Nous avons retenu les services de deux cent cinquante agents de sécurité, en majorité des étudiants triés sur le volet. Ils seraient tous reliés par walkie-talkie à la centrale, qui était le cœur de l'organisation.

J'affirmai dans des entrevues à la radio et à la télévision que, si on pouvait dire «bonjour» en français ou «une bière, s'il vous plaît», on serait le bienvenu sur le mont Royal.

Pendant ce temps-là, j'animais les dernières émissions d'*Appelez-moi Lise*. Ce n'était pas le moment de manquer de souffle. Mes journées étaient longues et mes nuits, de plus en plus courtes, mais l'enthousiasme était tel que je ne sentais jamais la fatigue. J'allai rencontrer tous les chanteurs et toutes les chanteuses en répétition, je fis une minitournée des Caisses Desjardins, j'allai voir le groupe de policiers assignés pour le travail sur le mont Royal. Je leur répétai mon discours de la salle de contrôle, les remerciant de travailler pendant que le public pourrait s'amuser en toute tranquillité.

Début juin, il plut beaucoup. Vers le 15, le sol de la montagne était complètement détrempé. Je commençais à me demander ce qui se passerait s'il pleuvait pendant cinq jours et cinq nuits. Je n'osais pas en parler à mon comité, de peur de décourager tout le monde. Tous les soirs, j'en parlais à ma Marie-Louise, ma grand-mère. Je lui disais que c'était d'abord pour elle que j'avais fait tout ça et qu'elle devait s'occuper du temps. Sinon, elle entendrait parler de moi…

22

Faut fêter ça!

Le 19 juin 1975, l'angoisse s'empara de moi. Pourtant, tout allait bien. Nous étions prêts partout. On devait fermer la montagne à la circulation automobile vers dix-sept heures le vendredi 20 juin. Je n'avais pas réussi à dormir de toute la nuit du jeudi au vendredi. Ma peur, tout à coup, n'avait plus rien à voir avec le temps. On annonçait du soleil pour tous les jours prochains. Ma crainte, c'était qu'il ne vienne personne. Au comité organisateur, nous avions tout envisagé sauf ça.

Et si le public allait bouder la fête ? Si le mont Royal allait ressusciter les vieilles peurs des foules violentes ? Si les Québécois allaient préférer fuir à la campagne plutôt que de prendre la route de la montagne… ? Je n'ai parlé à personne de cette angoisse affreuse qui m'étreignait et qui m'empêchait de respirer librement.

Dans l'après-midi du 20, je demandai à André De Luca, qui disposait de l'hélicoptère de la police, de me tenir au courant de l'affluence dès que le public commencerait à arriver sur le mont Royal.

À dix-sept heures trente, je n'avais pas encore de nouvelles. Je commençais à être insupportable. Je faisais tout revérifier. Environ une heure plus tard, je reçus un message de De Luca, qui disait de cesser de m'inquiéter : «Ça monte en foule sur la montagne.»

La fête pouvait commencer.

Dans nos délires les plus fous, nous avions dit qu'il viendrait cinq cent mille personnes sur le mont Royal. Nous aurions été contents de moins si ça avait été le cas. Pourtant, dès le premier soir, nos prévisions étaient bien en dessous de ce qui allait se produire. À la grande scène seulement, près du lac aux Castors, le soir de l'ouverture, il y avait cent cinquante mille personnes pour le spectacle de vingt et une heures. Ce spectacle avec Gilles Vigneault, Louise Forestier et Yvon Deschamps, qui avait pour titre *Happy Birthday*, séduisit les Québécois, et la nouvelle chanson de Vigneault, qui proposait de remplacer le fameux *Happy Birthday* par *Gens du pays*, fut reprise par tout le public. Yvon Deschamps fit jurer à la foule de ne parler que le français pendant toute l'année qui allait suivre. Ce n'était que le premier soir et il paraissait certain que nous dépasserions nos objectifs.

Les gens étaient visiblement heureux. Cela se sentait dans la foule. On était tolérant et chaleureux. On avait envie d'une vraie fête et c'est cette fraternité qui allait faire le succès de ces célébrations.

L'infrastructure tenait bon. Il fallait éviter à tout prix de devenir les victimes de notre succès. Il fallait s'assurer que toute l'organisation était capable de supporter un bien plus grand nombre de personnes que ce que nous avions prévu. Nous avions demandé qu'on enlève les paniers à déchets qui se trouvaient sur le mont Royal, pour qu'ils ne deviennent pas une tentation en cas d'échauffourée, mais nous avons dû demander de les remettre car une telle foule avait besoin de déposer ses bouteilles et ses papiers quelque part. Notre entente avec les brasseries stipulait qu'aucune bière identifiée ne serait vendue sur place. Le principe de ne présenter aucune publicité avait résisté à la première soirée chaude de l'événement. Le beau temps était installé. Ma Marie-Louise avait rempli son mandat. Il n'allait pas tomber une seule goutte de pluie pendant tout le temps qu'allait durer le pow-wow.

Un après-midi, le centre de météorologie de Dorval, avec lequel nous étions constamment en communication, nous informa qu'un orage se dirigeait directement sur le mont Royal. Ce genre d'orage isolé qui pouvait laisser plusieurs centimètres de pluie en un seul endroit en quelques minutes. Nous avons donc demandé au nuage d'aller tomber ailleurs. Et il l'a fait. À la grande surprise de l'équipe de Dorval, et à la nôtre aussi, je l'avoue. Le vent a tourné juste ce qu'il fallait pour que le nuage aille se vider complètement sur Laval. À Dorval, on a même dit, en riant, que c'était un miracle. Je ne leur ai pas raconté à qui nous le devions.

Après quelques heures de fête, tous les moyens étaient bons pour se rafraîchir. Nous regrettions déjà de ne pas avoir fait dépolluer le lac aux Castors puisque les gens s'en servaient comme d'une piscine. Ce qui me faisait dire que les Québécois étaient «faits forts». Nous avions d'abord envisagé de placer la grande scène au milieu du lac, mais ce projet avait été abandonné à cause de l'épaisseur de vase qu'il y avait au fond. Dans la canicule que nous connaissions, l'eau du lac avait, pour plusieurs, des vertus rafraîchissantes.

Le public était déjà très étonné du comportement des policiers de la Ville de Montréal. Ils n'étaient pas tous en uniforme. Le pacte que j'avais conclu avec eux tenait bon. Ils étaient absolument charmants avec tout le monde, sans perdre de vue cependant qu'ils étaient là pour la protection du public. Les journaux ne manquèrent pas de relever l'événement, et, ma foi, le public fut enchanté de ces policiers aussi civilisés que sympathiques.

Je faisais ma ronde du mont Royal pour visiter les scènes un après-midi et je vis un spectacle étonnant. Deux jolies jeunes filles en maillot de bain étaient assises sur une grande couverture étendue sur l'herbe, et, avec elles, deux policiers en uniforme d'été. Je m'arrêtai en riant, pour leur dire qu'ils faisaient du zèle, quand l'un d'eux me répondit : «On les protège, madame. Ce sont deux Anglaises.»

Le premier soir, la fête avait déjà perturbé le calme habituel du cimetière de Notre-Dame-des-Neiges. Mille employés du comité organisateur devaient emprunter une voie tracée à travers le cimetière pour se rendre à leurs postes sur la montagne. Les journalistes et les policiers de service devaient faire de même. Le transport s'effectuait en minibus, et tout ce beau monde avait le cœur à la fête durant le jour. Pour rentrer le soir, quand la nuit était tombée, plusieurs préféraient traverser le cimetière en silence.

Les journaux, pendant les cinq jours de la fête, étaient pleins de propos louangeurs sur le travail des policiers et leur comportement en général. Dans *La Presse* du lundi 23 juin, sous la signature de Richard Chartier, on pouvait lire :

Pour la première fois depuis un bon bout de temps dans l'histoire du Québec, la police n'a pas joué un rôle de premier plan dans les fêtes de la Saint-Jean.

C'est une Saint-Jean sans camps rangés ni faits divers qui a pris tout le monde par surprise. En dépit de l'affluence des fêtards sur le mont Royal, jour et nuit depuis vendredi, il n'y a guère eu d'incidents graves. Le seul accident dramatique : un jeune homme s'est fracassé le crâne en faisant une chute dans le précipice situé près du café-terrasse. Plusieurs personnes ont par ailleurs subi des coupures en marchant sur du verre brisé ; elles ont été soignées rapidement.

Pas de batailles rangées entre policiers et manifestants, pas de bataille tout court, pas de meurtre, pas de viol. Un seul larcin, le vol d'une boîte de chips, a été rapporté.

Les fêtards se disent enchantés. Les policiers aussi. De fait, les soixante-quatre agents en poste sur la montagne pour la durée des festivités jouent un rôle discret et effacé ; un vrai rôle de second plan qui n'a nécessité jusqu'ici que de rares interventions.

L'agent Normand Couillard, des relations publiques de la police de la CUM, a expliqué à La Presse *que le service de sécurité mis sur pied par les organisateurs des fêtes a toujours l'initiative et que le travail des policiers se résume finalement à exercer une surveillance discrète, effacée, et à faire preuve d'une tolérance assez exceptionnelle.*

Puis, dans la même page, Christiane Berthiaume en rajoute :

Une gentillesse qui étonne tout le monde

« Hey man, j'ai jamais vu des "beux" aussi smattes. C'est ben la première fois », s'exclame, entre deux « joints », un adolescent. Ses camarades, installés comme lui sur le mont Royal et qui fêtent la Saint-Jean depuis vendredi soir, l'approuvent.

Un peu plus loin, des policiers prennent une bière, parlent avec les gens, racontent l'aventure d'un des leurs qui, la veille, s'est perdu dans la montagne. Un enfant l'a retrouvé.

Autant drogue-secours, les hôpitaux de campagne, les organisateurs que la foule soulignent la collaboration des policiers. « Nous avons reçu l'ordre de laisser les gens tranquilles, expliquent ces derniers. Nous les ramassons seulement s'ils tombent. »

Et la journaliste ajoute :

Plus déroutant encore, c'est de les entendre adopter par mimétisme les expressions à la mode :
C'est un « burn » (lorsqu'un pépin survient) ou c'est « au boutt », c'est « cool » (quand tout va bien).

C'est Normand Couillard, le chargé des relations publiques de la police, qui était heureux. Il ne le cachait pas, d'ailleurs. Dans une entrevue accordée à *Montréal-Matin*, le 24 juin, il a déclaré : « Dès le début, il a été établi quelles seraient nos responsabilités, tout le monde savait ce qu'il avait à faire, les tâches entre les différents services de sécurité ont été bien réparties. » Et à un journaliste qui faisait remarquer le comportement beaucoup moins gentil des policiers de Toronto, la semaine précédente, lors d'un spectacle des Rolling Stones, M. Couillard a répondu :

184

LA QUÉBÉCOISE

EN CETTE ANNÉE INTERNATIONALE DES FEMMES: FAUT FÊTER ÇA

COMITÉ DES FÊTES DE LA ST-JEAN INC.
EN COLLABORATION AVEC LA SOCIÉTÉ DES LOTERIES ET COURSES DU QUÉBEC

Notre fête nationale

Nous avons obtenu l'autorisation de lancer une loterie pour payer tous les frais de l'événement. Ce sera « la Québécoise ».

Je me transforme en vendeuse de billets de loterie. Mes premiers clients : Marcel Pépin, de la CSN, et Jean Drapeau. Même le Premier ministre Robert Bourassa ne s'est pas fait tirer l'oreille.

La fête nationale de 1975 s'organise. (De g. à d. :
Laurent Bourguignon, Marcel Couture et Jean Le Derff.)

Ma roulotte sur le mont Royal, surchauffée
le jour, glacée la nuit. Inoubliable.

La foule s'installe pour le grand spectacle d'ouverture de
la fête nationale. Oui, c'est vrai, il y aura du monde…!

Dans l'hélicoptère du service de la police, mon ami
André De Luca me dit de cesser de m'inquiéter.
La foule sera nombreuse « tant que durera le tam-tam ».

Il y aura un million quatre cent mille personnes sur le mont Royal cette année-là. Une fête fabuleuse.

Une œuvre d'art... réalisée lors de la fête nationale.

En 1975, il y avait à Montréal un chef de police souriant (René Daigneault), car jamais les policiers n'avaient reçu autant de compliments que lors de la fête nationale.

Nous disposons de huit scènes sur le mont Royal, avec des spectacles le matin, l'après-midi et le soir. Il serait moins long de faire la liste des artistes qui n'y étaient pas que de nommer tous ceux qui y étaient, tant ils étaient nombreux. Louise Forestier figurait parmi eux, ainsi que Monsieur Pointu, assis derrière nous.

René Simard.

Yvon Deschamps, au spectacle d'ouverture.

Jean Bissonnette, l'artisan de toutes les scènes et de tous les spectacles, en compagnie de Gilles Vigneault.

Des monuments du
monde du spectacle :
Juliette Pétrie
et Rose Ouellette.

Luce Guilbault,
également présente
au spectacle des
femmes.

Pauline Julien.

Denise Pelletier.

La « p'tite Sylvestre ».

Monique Mercure.

Clémence.

Jean-Pierre Ferland et
Jacques-Charles Gilliot.

Ginette Reno, au spectacle de clôture. « Un peu plus haut, un peu plus loin. »

Cet homme avait bravé la chaleur, la foule, la fatigue pour dire son amour du Québec. Je l'ai aimé tout de suite.

«Ce qui arrive souvent dans ces cas, c'est que l'on ne nous dit pas ce que l'on attend de nous.»

La plus grosse nouvelle concernant la police se trouva dans *Dimanche-Matin* du 22 juin, sous le titre : «Policier retrouvé par un enfant».

> *Un enfant qui se perd sur le mont Royal : fait anodin. Un policier qui se perd au même endroit, voilà un fait assez inusité. Et pour le comble, ce policier a été retrouvé par un enfant.*
>
> *Cela s'est passé vendredi soir pendant le spectacle sur la grande scène. Un policier n'arrivait plus à retrouver son chemin parmi la foule grouillante. C'est alors qu'il demanda à un jeune garçon qui apparemment était familier avec le lieu de le ramener au Chalet de la montagne.*
>
> *Sur le chemin, l'enfant et le policier rencontrent une auto-patrouille. Le conducteur s'adresse alors au policier en lui demandant s'il vient de trouver un enfant et s'il désire le ramener quelque part. Mais à sa grande surprise, c'est l'enfant qui répond : «Mais c'est moi qui ai retrouvé le policier.»*

Le 25 juin, quand le moment des bilans fut arrivé, le numéro un de la police, Paul-Émile Lécuyer, président du Conseil de sécurité publique de la CUM, a laissé parler son cœur. C'était le titre d'un article de *Montréal-Matin*, le mercredi 25 juin 1975 :

Le n° 1 de la police laisse parler son cœur

> *Le président du Conseil de sécurité de la Communauté urbaine de Montréal, M. Paul-Émile L'écuyer, a été vivement impressionné par l'atmosphère qui*

régnait sur le mont Royal durant les fêtes de la Saint-Jean. Non moins impressionné par le succès remporté par Mme Lise Payette, il a offert à la présidente des fêtes un poste au Conseil de sécurité de la CUM, avec un budget de cinq millions, car, a-t-il dit, «même avec cinq millions de publicité, jamais je n'aurais pu réussir à convaincre la population» que les policiers sont là pour aider.

S'il ne faut pas prendre cette déclaration au pied de la lettre, elle ne témoigne pas moins de toute l'admiration qu'éprouve M. Lécuyer pour Mme Payette. Il n'a point, d'ailleurs, caché à celle-ci ses sentiments.

«Madame Payette, je vous dis merci! Je vous ai embrassée tout à l'heure. C'est du fond de mon cœur parce que, franchement, je suis fier de vous; parce que vous êtes presque une des nôtres maintenant.

«Je suis fier de vous. Je suis fier aussi de ceux qui ont réalisé que la police, la sécurité et les citoyens, c'est une seule et même chose. C'est la première fois que l'on vit cela.»

Après la fête, je n'ai pas accepté la proposition de Paul-Émile Lécuyer. J'aurais peut-être dû. Si je l'avais fait, peut-être aurions-nous à Montréal une police qu'on viendrait voir de partout dans le monde comme un modèle à imiter…

23

Les journalistes au cœur de la fête

Il y avait des anglophones sur le mont Royal, aussi heureux que les francophones d'être là. Les journalistes en ont fait état. *Montréal-Matin* du 21 juin le soulignait dans un article ayant pour titre : «Une foule entassée comme brins de foin». Le journaliste écrivait :

> *Même si la majorité de la foule qui s'était donné rendez-vous pour fêter la Saint-Jean sur les hauteurs était francophone, l'élément anglophone était aussi présent. Il s'agissait surtout de familles qui ont participé pleinement aux manifestations joyeuses qui se sont déroulées sans désemparer jusqu'au lendemain matin au Chalet du lac aux Castors.*

Même le journal *The Gazette*, après s'être fait tirer l'oreille pour admettre que la fête était belle, finit par écrire ceci dans son numéro du 23 juin, sous le titre : «St. Jean festival hailed as a "miracle", draws people of all language groups». On pouvait lire, dans cet article signé Don MacPherson :

There were none of the clashes between police and celebrators that have marred past St. Jean Baptiste celebrations, and the police who were on duty were having as much fun as anybody else.

So were the English-speaking, Italian-speaking, Greek-speaking, Ukrainian-speaking and Polish-speaking Quebecers who joined their French-speaking compatriots in the celebrations.

East Indians wearing turbans or saris strolled along the mountain paths past darkskinned Haitians. Elderly couples sat on benches while young couples strolled past carrying infants papoose-style on their backs[1].

Quant à la couverture francophone, elle fut vite à court de superlatifs. Les journalistes, comme le public, aimaient ce goût de fierté que la fête laissait dans la bouche. Les journaux, aussi bien que la radio et la télévision, nous accordaient un espace immense. Ils transmettaient volontiers le message de bonne volonté que nous avions voulu faire passer. Les radios diffusaient directement du site, avec, par exemple, Jean Duceppe comme animateur pour CJMS, Georges Whelan, Jean-François Lebrun et Richard Desmarais pour CKAC. Au total, plus de cent vingt-cinq personnes travaillant pour CBF, CKVL, CJMS et CKAC étaient sur le mont Royal.

---

1. «Les affrontements entre participants et forces de l'ordre qui, dans le passé, ont souvent troublé les festivités de la Saint-Jean n'ont pas eu lieu cette année. Les policiers se sont amusés comme tout le monde.

«Il en était de même des Québécois anglophones et de ceux d'origine italienne, grecque, ukrainienne ou polonaise; ils se sont tous joints à leurs compatriotes francophones pour fêter.

«Sur la montagne, des membres de la communauté hindoue, coiffés de turbans ou vêtus de saris, côtoyaient ceux de la communauté haïtienne; des couples du troisième âge se prélassaient sur les bancs en regardant ceux, plus jeunes, qui déambulaient, leurs enfants sur le dos.»

Nos installations permettaient le travail en direct de toutes ces équipes. Notre installation sonore était si efficace que, si elle eût été poussée au maximum, les spectacles présentés sur la grande scène du lac aux Castors auraient pu être entendus de la Place-Ville-Marie.

Radio-Canada diffusait les principaux spectacles en direct de la montagne. Les techniciens de la grande maison avaient reçu l'ordre de cesser immédiatement toute diffusion s'il y avait le moindre commencement de manifestation, et surtout de ne filmer que le spectacle et pas du tout la foule. On dit que chat échaudé craint l'eau froide, et Radio-Canada avait toutes les raisons de se souvenir de son cafouillage en direct de 1968, rue Sherbrooke.

Radio-Québec était en grève durant les jours de la fête nationale de 1975. Ses employés avaient quitté le travail car ils prétendaient manquer d'espace de stationnement. Être en grève au moment de la fête nationale du Québec, quand on s'appelle Radio-Québec, laissait déjà présager le pire quant à cette chaîne.

Les journaux étaient remplis de photos remarquables de la fête.

Des journalistes de *National Geographic*, de la télévision française et du journal *Le Figaro* avaient également été accrédités. Notre fête commençait à intéresser les étrangers.

Sur le site, on pouvait entendre un nombre étonnant de langues parlées ou chantées. Le français, bien sûr, et l'anglais, mais aussi l'espagnol, le portugais, le chinois, le grec et beaucoup d'autres. «*Arriva, arriva Québec*», lancèrent en chœur des Latinos-Américains que je croisai un matin. On admira les spectacles des Mexicains, des Chiliens, des Vietnamiens, des Japonais et de nombreuses autres cultures.

Le deuxième spectacle sur la grande scène, le samedi soir, était celui qui nous inquiétait le plus. Nous avions réuni pour un concert rock le groupe Offenbach, Gilles Valiquette, les Séguin et Aut'Chose. Les journaux du samedi matin, en louangeant l'organisation de la veille, soir de première, nous facilitèrent la tâche. La soirée fut parfaite. Deux cent cinquante mille personnes s'étaient regroupées autour du lac aux Castors, et la joie de vivre autant que la bonne humeur ont fait le reste. Il y avait des jeunes dans cette foule, mais également des familles avec enfants et poussettes.

Le spectacle pour enfants, dont la grande vedette avait été René Simard pour le plus grand plaisir de tous, avait eu lieu l'après-midi. Des vedettes, il y en avait partout, sur toutes les scènes : Michel Louvain, Serge Laprade, Pascal Normand, Pierre Létourneau, Fernand Gignac, Paolo Noël, Rod Tremblay, André Lejeune, Raymond Lévesque, Clémence Desrochers, Jim et Bertrand, Jean-Guy Moreau, Jean Lapointe, Jean Carignan et nombre d'autres.

Daniel Rioux, dans *Le Journal de Montréal* du 23 juin, écrivait, sous le titre : «Une foule bigarrée, joyeuse et fière!» :

> Rien ni personne ne pourrait venir perturber le déroulement des célébrations entourant notre fête nationale. Après trois jours de festivités, après la participation aux fêtes de plus de 600 000 personnes depuis vendredi, il n'y a aucune équivoque qui subsiste.
>
> Cette année, les Québécois ont droit à une véritable fête en leur honneur!
>
> Le comité organisateur, Lise Payette en tête, a mis en branle une énorme machine fabriquée au Québec pour des Québécois. Le train de notre fête nationale

a «*embarqué*» *des gens venus de partout au Québec,*
mais également de l'extérieur. [...]

Tout le monde est heureux tout le temps depuis
l'ouverture des fêtes, vendredi après-midi, et la joie
se communique étrangement à tous ceux qui viennent
sur la montagne.

La troisième soirée était consacrée à l'Orchestre
symphonique de Montréal. Une foule d'environ cent mille
personnes ovationna l'orchestre sous la direction de Léon
Bernier. André Gagnon était le soliste invité et la foule fut
extrêmement généreuse durant tout le concert, si bien
qu'en quittant la scène Léon Bernier se mit à pleurer. Il
n'était pas le premier à qui ça arrivait en sortant de scène,
tellement l'atmosphère du mont Royal était remplie
d'émotions et de fierté.

La quatrième soirée fut celle des femmes. Deux cent
mille personnes étaient au rendez-vous. Dans *Le Journal*
de Montréal du 24 juin, Diane Massicotte écrivait :

15 comédiennes font le tour
de la «question des femmes»

Plus de 200 000 personnes ont été émues devant
la performance de quelque quinze comédiennes qui ont
fait le tour de «la question des femmes» en parlant
de leurs peurs, de leur joie, de leurs espoirs, du
couple, des enfants, etc., hier soir sur la grande scène
du mont Royal. Un beau «show» de femmes qui
s'adressait à tout le monde. Pas de forme de ségré-
gation s'il vous plaît, les femmes savent trop ce que
l'on ressent quand on est de ceux qui sont exclus...

Ça se pourrait-tu?, conçu par Jacqueline Barrette
et mis en scène par Mouffe, a soulevé toutes les

facettes de la vie des femmes, l'historique de la moitié du monde. «Oyez! oyez! mesdames et messieurs, venez voir toutes les femmes du monde réunies pour la première fois sur une scène et qui sont devenues des funambules, qui donnent un spectacle sur la corde raide de l'année internationale de la Femme», crie Louise Forestier, vêtue d'un long manteau de satin blanc garni de courtepointes. «Toutes les femmes du monde..., les grosses, les petites, les heureuses, les malheureuses, les jeunes, les vieilles, les belles en dedans mais laides en dehors, comme les belles en dehors et laides en dedans. Toutes les femmes du monde...»

Pour nous, sur scène, cette soirée fut l'une des plus importantes de notre vie. Il se créa des liens d'amitié très forts entre toutes les femmes qui donnaient le spectacle. Nous étions particulièrement touchées par la présence de Rose Ouellette (La Poune) et de Juliette Pétrie, ainsi que de Muriel Millard.

Benoit Aubin, dans *La Presse* du 24 juin, sous le titre : «400 000 personnes autour des feux de joie», écrivait ceci :

Il y avait tellement de monde, hier soir, à la fête que même le contrôleur de la station de métro Guy, qui en a vu d'autres, n'en revenait pas.

Mais lui, il était sous terre. Imaginez un peu, plus près du ciel, sur la montagne... 400 000 personnes au moins proclament les hommes en hélicoptère qui scrutent l'immense fourmilière du haut des airs, où près d'un demi-million de petites bibittes francophones s'agitent, circulent, gesticulent, rient, dansent et s'agglutinent, par masses considérables, autour des grandes scènes, autour des feux de joie, dans une espèce de grande célébration spontanée, offerte bien plus volontiers au beau soleil, aux arbres, au gazon, à l'esprit du houblon, du chanvre et de l'amour, qu'à de grands thèmes abstraits comme la destinée nationale ou les avatars collectifs.

«Pour un peuple sans histoire, on est pleins de fun», lançait Vigneault, voilà quelques années. Ces jours-ci, tout le monde s'amuse ferme, avec l'impression que son «fun» passera à l'histoire.

À propos de grands thèmes, c'était hier la journée de la femme. À première vue, on ne pouvait pas le savoir : les hommes n'étaient pas moins nombreux et les femmes pas plus méchantes que la veille. Journée des femmes, journée de fête, veille d'une journée de congé national : le quart de la population de Montréal était sur la montagne, pas pressé d'aller dormir.

Ce spectacle des femmes devait être suivi par la Nuit de la Parole, au Centre d'Art du Mont-Royal. Nous avions invité les femmes à une nuit de veille au cours de laquelle elles pourraient dire tout ce qu'elles gardaient en elles depuis si longtemps, tout ce qu'elles n'avaient jamais exprimé à haute voix. Ce fut le seul échec de la fête. Nous voulions que ce soit doux et tendre, comme une rencontre entre ciel et terre. Le lendemain, Michèle Tremblay écrivait dans *Le Journal de Montréal* :

Après avoir réussi de peine et de misère à re-grouper quelques personnes qui voulaient discuter entre elles, nous avons eu droit à des scènes fort disgracieuses de la part d'hommes considérablement dérangés par l'alcool. Devant tant d'indécence, les

femmes ont quitté les lieux abruptement vers deux
heures du matin.

Et Christiane Berthiaume, dans *La Presse* du même
jour, sous le titre : «J'avais pourtant des choses à dire»,
écrivait pour sa part :

> À *deux heures du matin prenait fin abruptement*
> *cette soirée qui, dans l'esprit de son organisatrice,*
> *Andréanne Lafond, devait se terminer à l'aube.*
> *En effet, l'atmosphère est vite devenue agressive*
> *et même vulgaire. Un homme s'est mis à sauter en se*
> *tenant le zizi, un autre à crier en direction de l'ani-*
> *matrice : «Si c'est une queue que tu veux, viens me*
> *voir». Des femmes qui passaient par là ont reçu des*
> *gifles et d'autres de la bière au visage.*

Il nous a bien fallu admettre que, la nuit, les femmes
devaient encore craindre les hommes, et que la bataille de
la liberté et de l'égalité n'était pas encore gagnée pour les
Québécoises.

Dans cette foule heureuse du mont Royal, qui dé-
passait déjà le million de personnes, quelques mâles en mal
d'autorité avaient agi comme des agresseurs pour empêcher les femmes de parler entre elles. Je leur en ai voulu
longtemps. Avec raison.

24

Le dernier jour

Je vivais dans ma roulotte, mais j'y avais passé bien peu de temps depuis le début de la fête. Quelques petites heures la nuit à essayer de dormir sans trop de succès, et quelques arrêts pour me doucher durant la journée. La douche elle-même était une installation précaire, une véritable aventure. Le premier jour, ne me méfiant de rien, j'avais provoqué une inondation dans la roulotte et j'avais pataugé dans trente centimètres d'eau pendant des heures en attendant que tout soit séché. Je prenais donc, ce qu'il serait convenu d'appeler, des douches prudentes.

Je mangeais n'importe où, là où je me trouvais. Un jour, j'invitai mes deux policiers préférés, Tessier et De Luca, avec Jean Fournier et Laurent, à partager des steaks que j'avais fait cuire moi-même sur la cuisinière de ma roulotte. Ce ne fut pas un repas gastronomique. La fumée due à la mauvaise aération nous tint compagnie pendant un moment. Je crois que ce fut mon seul repas chaud de ces cinq jours. Le confort de la roulotte était très aléatoire. Incroyablement chaude le jour, elle devenait glacée la nuit. Pourtant, quand je m'y retrouvais enfin seule, je pouvais m'entendre réfléchir quelques minutes, ce qui était déjà un cadeau.

Le 24 juin, dès le matin, nous savions que nous avions dépassé le million de personnes. Malgré cette foule grouillante qui parcourait les routes et les sentiers du magnifique parc du Mont-Royal, la chance continuait de nous sourire. Nous n'avions soigné que des coupures aux pieds, et notre hôpital de campagne ne faisait état d'aucune blessure grave. Une vingtaine de «potteux» avaient dû être traités, mais ce nombre était insignifiant par rapport à la foule présente. Un jeune homme avait fait une chute planée dans un précipice et avait été transporté à l'hôpital de la ville. C'était le cas le plus sérieux que nous ayons eu à déplorer, mais les secours avaient été rapides après l'accident, et le travail des sauveteurs, avec l'aide d'un hélicoptère, s'était bien déroulé. Un autre avait failli se noyer dans le lac aux Castors, mais il avait été repêché à temps. Parmi les membres de l'organisation, Guy Savard, le responsable de la régie de la grande scène, s'était foulé un pouce, tandis que Robert Paradis, chargé des relations publiques, s'était fracturé une main et que je m'étais foulé une cheville. Nous attendions toujours la naissance de notre premier bébé.

Nous nous croisions les doigts. Ma plus grande crainte était qu'un visiteur connaisse une fin tragique à cause d'une crise cardiaque grave. Monter sur le mont Royal pouvait représenter une difficulté réelle pour certaines personnes, et la chaleur avait été suffocante pendant cinq jours et cinq nuits. Mais cela ne s'était pas produit. Il n'y avait pas eu de bagarre non plus. Les enfants qui s'étaient perdus avaient tous été retrouvés. On ne signalait que deux vols; le premier concernait une boîte de chips, et le deuxième, la guitare de Gilles Valiquette.

La loterie «la Québécoise» vivait ses dernières heures. Le tirage des numéros gagnants aurait lieu sur la grande scène, à la fin du dernier spectacle. La Société des loteries et courses nous avait donné un coup de main pour finaliser la vente des derniers lots de billets. Nous avions vendu deux millions dix mille billets sur deux millions cent soixante mille qui avaient été imprimés. On nous avait donné le feu vert pour vendre nos billets dans certains points de vente du réseau habituel des loteries. Grâce à la vente de ces billets à un dollar chacun, cinq cent cinquante mille dollars retourneraient en prix au public. Le reste des revenus servirait à payer toutes les dépenses de la fête, les feux d'artifice, les artistes, les musiciens et tous ceux qui avaient travaillé sur le mont Royal, y compris les étudiants qui faisaient partie du service de sécurité et qui gagnaient quatre dollars de l'heure. Ils travaillaient douze heures par jour.

Dans l'après-midi du 24, en prévision du spectacle du soir avec Jean-Pierre Ferland, j'allai rencontrer presque toutes les chanteuses qui y participeraient. C'était aussi l'anniversaire de Jean-Pierre ce soir-là.

Plus tard, vers la fin de l'après-midi, Ginette Reno vint frapper à la porte de ma roulotte. Il y avait quelque chose qui n'allait pas. Elle paraissait triste, même si elle disait le contraire. Nous avons parlé assez longuement avant qu'elle finisse par me dire ce qui l'ennuyait. Elle trouvait cela difficile de se retrouver dans un groupe avec les autres chanteuses. Elle avait l'habitude d'être seule en scène, d'être en vedette, et elle se demandait si elle avait bien fait d'accepter ce spectacle-là, parce qu'elle faisait sa rentrée au Québec après une assez longue absence.

Je mis mes bras autour de son cou car je la sentais extrêmement fragile. Elle arrivait de Los Angeles et elle était dans une période de remise en question. Je tenais tellement à ce qu'elle soit sur scène. Je l'encourageai à donner le meilleur d'elle-même, à trouver la force qu'il fallait pour jouer le jeu jusqu'au bout et ainsi prendre sa part du succès de ces fêtes extraordinaires. Je lui ai raconté les émotions que nous avions vécues au cours des quatre premiers jours. Je m'attendais à ce que le dernier soir fût exceptionnel. Puis je lui ai juré que le public serait extrêmement heureux de la retrouver, parce qu'il l'aimait toujours. Elle a pleuré. Elle s'est tue pendant un moment, puis elle m'a promis d'y mettre tout son cœur.

Elle voulut ensuite savoir ce que je faisais après les fêtes. Je lui racontai que j'avais loué, l'été précédent, une petite maison en Provence, et que Laurent et moi irions nous reposer là-bas. Je lui expliquai que j'étais fatiguée, et pas très loin d'être brûlée émotivement après avoir vécu la fin d'*Appelez-moi Lise* et ces fêtes sur la montagne. Elle me confia qu'elle m'enviait et qu'elle regrettait de ne rien avoir prévu pour les vacances. Je lui dis qu'elle pouvait venir me rejoindre, et elle est repartie vers sa loge, consolée.

Le spectacle fut un succès énorme. Jean-Pierre Ferland a présenté les dix magnifiques interprètes de ses chansons en parlant des «dix plus beaux chars allégoriques de nos fêtes» sans que personne lui arrache les yeux. Il y avait là Renée Claude, Véronique Béliveau, Emmanuelle, France Castel, Lucille Dumont, Ghislaine Paradis, Shirley Théroux, Christine Chartrand, Andrée Boucher et, bien sûr, Ginette Reno, qui réussit à bouleverser les centaines de milliers de personnes avec son interprétation d'*Un peu plus haut, un peu plus loin*. Ce soir-là, on aurait pu décréter que cette chanson de Ferland allait devenir l'hymne national du Québec et personne n'aurait protesté.

C'était un moment vraiment unique. La bonne humeur de Ferland, le talent de ces dix femmes réunies et le règlement de comptes amoureux de Ginette avec le public du Québec tout entier allaient s'imprimer dans nos mémoires pour toujours. Ginette dit encore aujourd'hui que ce moment a été le plus important de toute sa carrière.

Le lendemain, Louise Cousineau écrivait dans *La Presse*, sous le titre : «Le mont Royal dans mon salon : des images de moi que j'aimais». :

> *Comme j'aimerais avoir du temps pour fignoler ce papier! Je vais vous parler d'hier soir, mais pour moi il est ce soir et on est en train de tirer le numéro gagnant de «la Québécoise». C'est l'anticlimax de la soirée. Je me fous pas mal du cerveau électronique et de ses bons vœux. J'aimerais bien mieux entendre la foule scander «mer-ci, mer-ci».*
>
> *Ce soir, je n'échangerais pour rien au monde ma nationalité — qui n'en est pas une vraiment — de Québécoise. Je viens de passer une soirée sur le mont Royal dans mon salon. La télévision m'a envoyé des images de moi que j'aimais. Pas toutes, il est vrai, mais un soir de* party *comme ça, il faudrait être bien grincheux pour courir après la petite bête. On s'est trouvés bons hier soir. Et on avait bien raison. Loin, très loin du défilé figeant de mon enfance. Hier soir, on pouvait se laisser aller sans honte à s'aimer.*
>
> *Je mentirais si je n'avouais pas tout de suite que cette réussite m'enchante parce qu'elle est le fait d'une bande de femmes, depuis Lise Payette, présidente du comité des fêtes de la Saint-Jean, à Jacqueline Barrette qui a conçu le show des femmes, à Mouffe qui l'a mis en scène, à toutes celles qui y ont participé,*

tant au premier qu'à celui de Jean-Pierre Ferland. Ah! les filles, vous êtes dangereusement compétentes! J'en connais qui doivent se poser de drôles de questions ce matin.

Jeudi soir, on tabassait le mouton de nos angoisses collectives. Hier soir, «Ça s'pourrait-tu?» fricotait celui des besoins de libération des femmes. Elles ont défilé devant nous, représentant les facettes de la condition féminine : la séparée, la mal-aimée, la naïve, la militante syndicale, l'ouvrière exploitée, la mariée à l'Anglais, celle à qui son mari ne dit plus «je t'aime», l'amoureuse, la maîtresse, la vociférante.

Ç'aurait pu être cucu grandiose. Mais c'était fait avec esprit et surtout avec tendresse et mesure. Louisette Dussault implorait de réinventer la terre pour que le monde fleurisse à nouveau et Renée Claude répliquait : «Ne tuons pas la beauté du monde.»

La deuxième partie du spectacle était celle de Jean-Pierre Ferland et de ses dix femmes. Plus de messages : il était question de se retrouver dans un grand show avec des chansons qui nous charment depuis des années. C'était ravissant, bien fait. C'était la fête à Jean-Pierre.

Mais ç'a surtout été celle de Ginette Reno, qui a littéralement volé le show. Si je sais lire sur les visages, le sien, lorsqu'il est apparu à l'écran au début de sa chanson, reflétait l'angoisse d'une femme qui se demande si on l'aime encore. Elle s'est jetée dans sa chanson comme une perdue. Je me suis retrouvée assise sur le bord de ma chaise, le cœur au fond de la gorge. Ce n'est pas souvent que la télévision fait un tel effet. Ginette me donnait tout. La foule a *apprécié cette générosité démesurée : elle a ovationné et réclamé Ginette Reno jusqu'à la fin.*

Sur la montagne, après le grand spectacle de clôture, j'ai procédé, sur la grande scène, au tirage de la loterie «la Québécoise». Et la foule, qui n'avait pas bougé, n'arrêtait pas de crier : «Merci, Lise! Merci, Lise!» Mes mains tremblaient. Je ne savais plus quoi dire. J'étais émue aux larmes et j'avais envie de leur dire de se remercier eux-mêmes car la fête, c'est eux qui l'avaient faite. Dans la coulisse, Jean Bissonnette me faisait signe d'accélérer. Il fallait donner les numéros gagnants rapidement. On voulait pouvoir éteindre la scène, bien marquer que la fête était finie, et on m'attendait pour présenter un dernier spectacle au Chalet de la montagne. Jean Lapointe avait accepté de continuer dans la nuit pour permettre aux nostalgiques d'y traîner avant de redescendre. Je suis sortie de scène en pleurant et Jean Bissonnette m'a consolée.

Pendant que la foule continuait à me dire merci, j'étais complètement bouleversée. Bien sûr, j'avais beaucoup travaillé, mais ces fêtes, elles avaient d'abord été pour moi une façon de remettre ce que j'avais reçu de ce public extraordinaire qui m'avait déjà tout donné. Je me suis mise en route quand même vers l'autre scène, où Jean Lapointe m'attendait.

La foule a commencé à quitter le lac aux Castors doucement. Tout se faisait dans l'ordre et sans problème. Il y avait des gens qui s'embrassaient et qui pleuraient. Nous avions eu notre bébé, le seul de ces cinq jours et cinq nuits.

Je suis arrivée peu de temps après sur la scène du Chalet de la montagne. Nous étions déjà le 25 juin. Un jeune homme m'a alors crié qu'il ne s'était rien passé, qu'il n'y avait rien de changé… J'ai répondu qu'il se trompait. Nous savions tous qu'il y avait quelque chose de changé. Nous ne serions plus jamais les mêmes. J'avais expliqué qu'ils avaient encore jusqu'à cinq ou six heures du matin pour rentrer chez eux lentement. Personne ne leur pousserait dans le dos ni leur dirait de se dépêcher.

Jean Lapointe a commencé le spectacle, et, à la fin, tout doucement, la montagne s'est tue.

Je suis passée par la salle de contrôle pour remercier tout le monde. Pour les féliciter aussi. Sans eux qui, bien que présents sur le mont Royal, n'avaient pratiquement rien vu de la fête, je ne crois pas que nous aurions réussi. Ils avaient été le moteur de la fête.

Vers cinq heures du matin, André De Luca vint me dire qu'il ne restait pratiquement plus personne sur la montagne. Tout était redevenu normal. On allait bientôt rouvrir le mont Royal à la circulation.

Je suis finalement rentrée à la maison pour la première fois depuis le jeudi précédent. J'ai retrouvé mon lit et j'ai dormi comme une roche jusqu'à midi.

Le premier article que j'ai lu au lever fut celui de Diane Massicotte dans *Le Journal de Montréal*.

Une Saint-Jean extraordinaire!

Une Saint-Jean extraordinaire! Au moins un million et demi de Québécois ne l'oublieront pas de sitôt. Un million et demi de Québécois qui ont envahi le mont Royal, qui se sont emparés d'une montagne pour dire leur joie d'être québécois. La plus belle fête nationale de mémoire de Québécois, la Saint-Jean 75, organisée et menée de main de maître par Lise Payette, devenue de ce fait la plus grande vedette nationale, s'est terminée la nuit dernière.

Pour le dernier soir, environ 225 000 Québécois avaient, encore une fois, gravi le mont Royal. Aucun incident grave à signaler. Comme depuis le début, il y a cinq jours, la joie, l'amour, la bière et le cœur étaient les seuls passeports. Cliché aidant, on pourrait dire : succès total.

Le soir du 25, nous avions la permission toute spéciale d'organiser un gros barbecue sur le mont Royal pour ceux qui avaient travaillé à l'organisation de la fête nationale. Nous étions encore sonnés par l'excitation que nous venions de vivre. C'est la larme à l'œil que je retrouvai Jean Bissonnette, Jean-Marc Prieur, Jean Fournier et tous les autres. Nous n'étions pas peu fiers de ce que nous avions réussi. Nous étions heureux, mais complètement vidés, et nerveux. Je ne sais plus qui avait eu la bonne idée d'apporter une guitare. Nous avons chanté. Nous étions une trentaine de personnes, liées par une expérience que nous n'oublierions jamais.

Puis les journaux ont commencé à parler de l'état lamentable dans lequel se trouvait le mont Royal et à montrer des photos désolantes de verres abandonnés.

À tort ou à raison, il me semblait que c'était peu de chose pour un lieu qui avait accueilli une foule d'un million et demi de personnes en cinq jours. Il n'y avait pas eu de crânes fracassés ni de vitrines brisées. Nous regrettions de ne pas avoir prévu de faire nettoyer nous-mêmes le mont Royal par notre propre personnel après la fête. Nous espérions que les employés de la Ville chargés du nettoyage ne nous feraient pas une trop mauvaise réputation.

Quant aux arbres, la fête leur avait fait bien moins de dommages qu'une seule tempête de neige ou de verglas. Après quelques jours ou quelques semaines et un peu de pluie, la montagne aurait retrouvé sa somptueuse parure.

C'est d'ailleurs ce qu'écrivait Christiane Berthiaume, le 25 juin, dans *La Presse* :

> *Vue d'hélicoptère, la montagne n'est plus verte mais jaune et parsemée de trous noirs dus aux feux de joie. Cela sans compter les débris de bouteilles, les boîtes de carton qui traînent et les autres déchets. Pour leur part, une centaine de poubelles gisent au fond du lac.*
>
> *Les dégâts causés par la visite de 1 250 000 personnes sur la montagne pendant les cinq derniers jours sont de peu d'importance et le mont Royal sera propre, propre, propre samedi. D'autre part, un mois seulement suffira à lui redonner sa verdure.*

Dans *Montréal-Matin* du 25 juin également, Vallier Lapierre et Laurent Pépin posaient la question qui me paraissait la plus importante : «Le peuple québécois aurait-il trouvé son âme?»

J'avais envie de répondre oui. Car il me semblait que c'était bien ce qui s'était produit sur le mont Royal. Le peuple québécois, multiethnique mais uni, avait enfin trouvé son âme. Et poser la question, c'était y répondre. Sans âme, cette fête nationale n'aurait pas été possible.

25

Après les fleurs, les pots?

Les jours qui suivirent m'apportèrent un courrier abondant. On félicitait le comité organisateur pour la fierté retrouvée, la fraternité accueillante du lieu, la bonne humeur et la joie de vivre de la fête. Nous avions réussi à éliminer les irritants traditionnels : les politiciens, l'Église et les annonces publicitaires. Certains s'en plaignaient, s'identifiant comme «catholiques canadiens-français» et nous traitant de suppôts de Satan. Pourtant, beaucoup d'autres semblaient avoir compris l'effort que nous avions fait pour «redonner la fête à celui à qui elle appartenait, le peuple québécois». Tous les citoyens et toutes les citoyennes du Québec avaient été les bienvenus. Robert Bourassa aurait pu venir comme Québécois et citoyen. Il ne l'a pas fait. Jean Drapeau non plus, ni l'archevêque de Montréal. Le mont Royal avait cependant été ouvert à tout le monde.

Quelques lettres déploraient le laisser-aller de la tenue de certaines personnes, le langage utilisé par certains artistes ou la quantité de bière consommée sur le site, mais je croyais qu'aucun autre peuple n'aurait pu faire mieux avec des températures avoisinant les trente degrés chaque jour.

Quelques députés m'ont écrit. Parmi eux, Jacques-Yvan Morin, alors chef de l'opposition officielle à Québec, Marcel Léger, député de Lafontaine, et Gilles Bellemarre, député de Rosemont. Ils nous transmettaient leurs plus chaleureuses félicitations. Le jeune député de Saint-Jacques, Claude Charron, m'écrivit ceci :

> *Le 25 juin 1975.*
>
> *Madame Lise Payette*
> *382 Est, St-Joseph*
> *Montréal*
>
> *Chère madame,*
>
> *Il y a encore quelques heures je descendais tout doucement le Mont Royal au beau milieu de tous mes concitoyens... Depuis une heure déjà, je suis "réinstallé" sur ma banquette de l'Assemblée nationale, entendant distraitement un discours très quelconque à l'adresse d'oreilles bouchées... De quel peuple parlent-ils ?*
>
> *J'ai vécu, madame, cinq jours et cinq nuits de fête, de fraternité et d'amour. Ceux qui me manquent tellement à l'occasion quand je suis dans cette fosse, ceux pour qui et grâce à qui je me trouve parmi cette "élite", tous ceux-là et plus que je ne le croyais je les ai vus, je les ai entendus, j'ai ri et bu avec eux pendant cinq jours. Personne n'est resté étanche à l'atmosphère de fraternité, de dignité et de fierté : n'ignorez plus, madame,*

206

que dans ces milliers un député y a puisé suffisamment de force pour continuer encore plus loin.

Comme ils sont beaux nos artistes, nos musiciens, nos poètes, comme c'était bon de se laisser parler d'amour! Comme ils sont prêts à parler, les Québécois. Nous l'avons fait ensemble pendant cinq jours, nous avons pris le goût de dire ailleurs, partout, tout le temps, ce que nous sommes et ce que nous devenons. "Les gens de mon pays, ce sont gens de parole"...

Cette fête, nous en avions besoin. Tous ont été exceptionnels, du travail exemplaire des policiers au dévouement gigantesque des techniciens. Si tous ces gens ont voulu faire un succès de notre fête nationale, c'est bien sûr parce qu'ils sont des Québécois authentiques, mais aussi parce qu'ils éprouvaient un vif plaisir à travailler sous votre direction, j'en suis convaincu.

Je me joins donc à tous ceux-là qui vous ont déjà exprimé leur admiration et leur gratitude pour vous remercier de tout ce que vous avez fait. Il a fait bon sur notre montagne, madame, et nous vous le devons bien.

Vous voyez, j'avais encore envie de me laisser parler d'amour.

Amitié,

Claude Charron,
Député de St-Jacques.

D'Ottawa, une seule lettre, celle de Monique Bégin, alors députée de Saint-Michel :

Ottawa, ce 3 juillet 1975.

Madame Lise Payette
a/s Société Radio-Canada
1425 Dorchester ouest
Montréal, Québec.

Chère Lise Payette,

Permettez-moi de vous féliciter très chaleureusement pour votre organisation magistrale et le grand succès populaire des Fêtes de la St-Jean 1975.

Dès le premier soir, avec Louise Forestier, Gilles Vigneault et Yvon Deschamps, je trouvais assez merveilleuse l'ambiance qui se développait. Mais quand j'ai vu s'ajouter aux jeunes, des mères de famille de tous les jours, des petits enfants; quand j'ai vu s'agrandir le cercle de tous ceux qui venaient "fêter", je n'ai pu m'empêcher d'avoir chaud au cœur de ce succès. Vous avez réussi quelque chose d'extraordinaire en redonnant aux Canadiens-français leur fête. J'ai toujours, naïvement, aimé les fêtes et cru que les êtres humains en avaient besoin. Et j'ai aussi toujours pensé que c'était un peu de la manipulation que de les avoir vu utiliser par des idéologies politiques. Vous nous avez redonné la festivité et la fantaisie.

Peut-être connaissez-vous un essai qui m'avait, lorsque j'étais au CRTC, beaucoup frappée. Il s'agit d'un livre du théologien américain Harvey Cox, intitulé "The Feast of Fools". C'est un essai théologique sur la notion de fêtes dans le monde. Il y dit beaucoup de choses que

208

vous sauriez comprendre mieux que beaucoup d'entre nous.

Par exemple :

"festivity, with its essential ingredients — excess, celebration, and juxtaposition — is itself an essential ingredient in human life. Its loss severs man's roots in the past and clips back his reach toward the future".

Dans son apologie de la Fête des fous, condamné par le concile de Basel en 1431, mais qui a survécu jusqu'au 16ᵉ siècle, l'auteur exprime sa profonde raison d'être des fêtes populaires. Il dit par exemple de cette fête qui était devenue un symbole et que nous avons remplacée par les party de bureau, les parties de football ou les cocktails, c'est des choses comme celles-ci :

"the other important cultural component of the Feast of Fools is fantasy ans social criticism (…) The Feast of Fools thushad an implicitly radical dimension. It exposed the arbitrary quality of social rank and enabled people to see that things need not always be as they are. Maybe that is why it made the powerwielders uncomfortable and eventually had to go".

Je ne vous connais pas assez que pour vous écrire mais je suis bien contente que des moments dans le temps tels ce 24 juin et son octave nous permettent des fois de dire à l'autre ce que nous pensons à son sujet. Je vous dis donc bien des bonnes choses. Bon souvenir.

Le député de St-Michel,
Monique Bégin.

Je reçus également une lettre d'Alex Hamilton, alors président de Domtar, qui avait fait partie des hommes d'affaires que j'avais rencontrés au cours de l'hiver précédent et auprès de qui j'avais sollicité un soutien financier. Sa lettre disait ceci :

Madame Lise Payette
Comité de souscription
des hommes d'affaires,
Fêtes Nationales du Québec 1975,
1182, boul. Saint-Laurent
Bureau 15,
Montréal, P.Q.

Chère Madame Payette,

A la réunion à laquelle j'ai assisté au Club Saint-Denis il y a quelques semaines, vos plans pour les Fêtes Nationales de la Saint-Jean m'ont fort impressionné.

Il faut que j'admette, cependant, que je possédais certaines réserves, mais à la suite des résultats des festivités de la fin de semaine de la Saint-Jean et après y avoir assisté le lundi soir, je désire vous féliciter pour votre initiative à la direc-tion des festivités.

Je crois que les festivités nous auront aidés, nous Québécois, à franchir un grand pas vers le rétablissement d'une ambiance favorable à l'épanouissement du Québec.

Veuillez accepter, Madame Payette, l'expression de mes sentiments les meilleurs.

Alex Hamilton.

De Jean Rafa, je reçus un petit mot amusant : «Vous avez, en cinq jours, remplacé l'orgueil par la fierté dans le cœur de nombreux Québécois et Québécoises, néos et pure laine. Si vous récidivez, nous serons nombreux à répondre à votre appel, au cri historique (ou presque) de «La Payette, nous voici!» La note était signée : «Fraternelle accolade, Jean Rafa.»

Des centaines de personnes s'étaient donné la peine d'écrire de jolies lettres pleines de tendresse et de reconnaissance, dont un certain R. Cohen, qui disait : «Merci, Lise, merci, Québécois, merci, Haïtiens, Canadiens, Espagnols, Indiens, Marocains, Égyptiens, et merci à toute l'organisation.»

Claude Archambault, de Verchères, m'a envoyé une longue lettre dans laquelle il avouait n'avoir jamais pu me trouver une seule qualité. Il me rapportait franchement toutes les épithètes dont il m'avait gratifiée au cours des années précédentes. Je ne peux pas reproduire ici tout ce qu'il avait dit à mon sujet et qu'il me confessait franchement dans sa lettre. Il m'écrivait cette fois pour me demander pardon, cent fois, mille fois. C'était assez touchant.

Pendant ces cinq jours sur la montagne, cependant, nous avions perdu de vue que la vie continuait ailleurs, une dure réalité qui nous frappa de plein fouet dès que la fête fut terminée.

Pendant que nous fêtions, un éditorial dans *Le Jour*, signé Gil Courtemanche, s'était chargé de nous rappeler à l'ordre. Sous le titre : «Fêter sans maquiller la réalité», il écrivait :

Il y a un certain temps, c'était la fête des Canadiens français, maintenant, c'est en pratique celle des Québécois. C'est déjà une raison de célébrer. Il y a un certain temps, c'était la célébration de notre longue patience un peu masochiste, de notre pénible survivance et de notre médiocrité politique ; depuis, ce fut la fête de l'affirmation, celle des deux cents drapeaux qui symbolisaient fièrement sur la rue Sherbrooke une nouvelle idée du Québec. Ce fut aussi la fête de la colère et souvent au Chalet de la montagne, le petit party *privé de nos élites locales qui maquillaient sous le blanc loué de leur smoking leur incapacité d'incarner un pays. [...]*

Il y a dans la fête et le jeu, dans la parole et le chant une sorte de thérapie, une sorte de médecine qui donne ou maintient la santé des peuples. [...]

Car s'il faut fêter le présent ainsi que les promesses d'avenir, il ne faut pas oublier que les grévistes de la United Aircraft en seront à leur 534ᵉ jour de grève et que quelques-uns de leurs camarades, après avoir été sauvagement matraqués, sont encore en prison.

À Thetford-Mines, les grévistes ont besoin de 200 000 $ pour gagner le combat commencé le 18 mars, un combat mené pour gagner des choses aussi élémentaires que le respect de la santé des travailleurs et des salaires décents.

Deux travailleurs sont morts à la Canadian Copper, deux autres à la Canadian Electrolytic Zinc ; pendant ce temps, le groupe Noranda, auquel appartiennent les deux entreprises, continue d'accumuler des profits.

Louis Laberge est condamné à trois ans de prison pour un discours émotif qui n'est pas différent de ceux qu'ont prononcés de nombreux chefs syndicaux et de nombreux politiciens. Henry Morgentaler deux fois a été déclaré innocent, mais il est toujours en prison et le ministre de la Justice s'acharne sur lui.

À Ottawa, un gouvernement riche, efficace et muni d'une conception politique précise du Canada, grignote tranquillement les pouvoirs de l'État québécois, aidé en cela par notre gouvernement dont le projet politique a depuis longtemps été remplacé par un manuel d'organisation.

Ne pas oublier ces faits et des dizaines d'autres fait aussi partie du devoir de ceux qui veulent fêter sans maquiller la réalité.

La condamnation de Louis Laberge à trois ans de prison avait bouleversé le Québec. Un éditorialiste de *La Presse* avait affirmé que la sentence était méritée car le ton des chefs syndicaux avait monté au cours des dernières années et leurs invitations à défier les lois avaient, selon lui, entraîné des abus qu'il fallait arrêter. Depuis la création du premier front commun des deux cent mille employés de l'État québécois en 1972, le ton n'était plus le même, en effet. L'incarcération des trois chefs syndicaux, Marcel Pépin, Louis Laberge et Yvon Charbonneau, avait créé beaucoup d'incertitude.

On accusait le gouvernement Bourassa d'avoir l'arrogance d'un parti au pouvoir depuis trop longtemps. L'adoption de la loi 22 en 1974 avait déclenché une vague de protestations et de manifestations, surtout à Montréal, où cette loi sur la langue ne convenait à personne. Elle déplaisait à tout le monde pour des raisons différentes. Jugée trop dure par certains et nettement insuffisante pour d'autres, elle agissait comme accélérateur d'un immense mouvement qui allait devenir rapidement incontrôlable. En fait, depuis 1970, une bonne partie de la population souhaitait un changement qui mettait du temps à venir. Cela n'avait pas empêché le gouvernement de Robert Bourassa d'être réélu en 1973. Son immense talent pour laisser durer les attentes finissait par créer de l'agressivité dans la population.

Quelques jours après la fin des festivités, nous sommes tous partis en vacances. J'avais apporté dans mes bagages toutes les coupures de presse et le courrier que je n'avais pas eu le temps de lire. Sous le soleil de la Provence, j'ai pu vivre encore un bon mois à essayer de comprendre ce qui s'était passé sur le mont Royal. J'avais enfin un peu de recul et, plus le temps passait, plus j'avais l'impression d'avoir contracté une nouvelle dette envers le peuple québécois. La fête, au lieu de me libérer de ma dette envers un public qui m'avait choyée, m'en avait créé une autre plus grande encore. J'étais un peu en état de choc. Il fallait que je trouve comment revenir sur terre. Heureusement que je savais depuis longtemps qu'il ne fallait jamais rien considérer comme acquis. On peut vous aduler pendant un temps et vous mépriser par la suite. J'avais toujours veillé à garder la tête froide et, pendant ce petit mois de vacances, je m'efforçai de prendre du recul.

Le 13 juillet, je reçus un appel téléphonique de Ginette Reno. Elle venait d'arriver à Cannes avec sa bonne et ses enfants. Nous sommes allés la chercher à l'aéroport. J'étais à la fois contente et surprise de la voir. Jamais je n'avais pensé qu'elle donnerait suite à notre conversation du mont Royal. Mais, tout comme moi, elle surfait sur le succès qu'elle avait connu et peut-être qu'au fond elle voulait faire durer ce bonheur qui nous habitait quand nous nous sentions aimées. À la maison, elle réalisa vite qu'il me serait impossible de loger autant de monde. Nous lui trouvâmes des chambres dans un bon hôtel. Le lendemain, elle loua une voiture et partit pour la Suisse, où quelqu'un l'attendait. Je regrettais de ne pas avoir pu la garder. Je pouvais parfaitement nous imaginer toutes les deux dans la piscine en train de chanter à tue-tête *Un peu plus haut, un peu plus loin* en pleurant de joie.

26

Que reste-il de nos amours?

Nous sommes rentrés au début du mois d'août, comme prévu. Je repris la ronde des essayages pour la nouvelle émission qui commencerait au début de septembre. Mon coiffeur me proposa une nouvelle tête, changement de couleur et coupe assez courte, qui me plut.

Au fond de moi, je portais encore la fête. J'avais une sorte de nostalgie que je n'arrivais pas à bien identifier. À mon anniversaire, à la fin du mois d'août, je fus réveillée un matin par la police d'Outremont. Je me retrouvai en face d'un policier plutôt de mauvaise humeur, qui me raconta que mon mouton avait dérangé les voisins pendant des heures. Ils avaient téléphoné à la police pour se plaindre. On me sommait de me débarrasser de l'animal. Comme le policier n'avait pas l'air de plaisanter, je lui affirmai, le plus sérieusement du monde, que je n'avais jamais eu de mouton et que je ne savais pas de quoi il parlait. Il m'invita alors à jeter un coup d'œil dans mon jardin, où un adorable mouton tout blanc me suppliait de faire quelque chose.

C'était un coup monté avec la police par mes amies Louise Jasmin, Michèle Verner, Denise Monté et Diane

Richer. Je décidai d'appeler mon mouton «Charles», en l'honneur de l'attaché de presse de Robert Bourassa. Je lui confiai la tâche de veiller sur mes propres relations de presse.

Lise Lib prit l'antenne de Radio-Canada en septembre 1975, le samedi soir. C'était une belle case horaire et l'émission, faite d'entrevues et de chansons, n'était pas mauvaise. Dès les premières semaines, je me sentis toutefois à l'étroit dans la formule. Pourtant, bien d'autres animateurs devaient rêver d'avoir pareille émission. Cyril Beaulieu dirigeait l'orchestre et tous les invités étaient des têtes d'affiche. À la fin de chaque émission, j'avais, sans comprendre pourquoi, l'impression de ne pas être à ma place. Peut-être était-ce moins à cause de l'émission elle-même que parce que le rythme de ma vie avait complètement changé. J'avais l'habitude des émissions quotidiennes et tout à coup, avec une seule heure d'antenne chaque semaine, je me sentais sous-utilisée et en dehors de l'actualité. J'avais fait de la radio puis de la télévision quotidiennement depuis dix ans. Tout à coup, le rythme de ma vie s'était mis à ralentir. Je n'étais plus aussi occupée. Sans doute que je ne travaillais plus assez.

La fameuse confidence de Robert Gadouas m'est encore revenue à ce moment-là. Que pouvais-je rêver d'avoir de plus, à la télévision, qu'une heure par jour, avec le succès qu'*Appelez-moi Lise* avait connu? En 1975, j'avais quarante-quatre ans. J'étais beaucoup trop jeune pour la retraite. Le malaise que je ressentais provenait du sentiment de ne plus avoir de vrai défi à relever. J'avais déjà la tête au plafond et ma nouvelle émission ne m'aidait pas du tout à régler ce problème.

Il y eut quand même quelques bons coups à *Lise Lib*. Comme le soir où nous avions réuni dans notre studio les

218

Canadiens de Montréal et les Nordiques de Québec, membres de deux ligues différentes, ennemis jurés à cause de l'éternelle rivalité entre les deux villes. Je leur ai quand même prédit qu'un jour leurs deux équipes joueraient l'une contre l'autre, ce qui, à ce moment-là, était absolument impossible. Ma prédiction devait quand même se réaliser, quelques années plus tard.

J'animais *Lise Lib* depuis quelques mois et je savais déjà que les jours de cette émission étaient comptés. Je n'y tenais pas. J'étais disponible pour quoi que ce soit d'autre qui aurait pu se présenter. J'aurais aimé avoir accès à des émissions plus sérieuses, comme celle que j'animais à Radio-Québec et dont le contenu me passionnait. Mais le service des affaires publiques de Radio-Canada m'avait toujours été fermé. Et la suggestion faite par François Piazza dans *Montréal-Matin* du 13 octobre 1975 ne devait jamais être entendue.

Enfin Lise !

Ô joie ! Ô bonheur ! Le vendredi soir à 19 heures, sur Radio-Québec, il y a Mêlez-vous de vos affaires *avec Lise Payette. La vraie, l'unique. Pas la plogueuse de show ; la journaliste qui a disparu depuis quelques années. Elle pose des questions pertinentes, que tout le monde comprend, sait faire parler ses invités et fait des commentaires tout à fait à propos. Pendant une heure, elle fait avec maestria la liaison entre des témoignages directs et des reportages. Bref, du grand travail. Manquez pas ça ! J'avais souhaité, l'année dernière, lorsque enfin mourut l'émission que vous savez, qu'on lui donne une émission d'affaires pu-bliques. Pourquoi faut-il que ce soit Multi-Media qui y ait pensé ? J'espère que les bonzes de Radio-Canada*

la regarderont. Pour découvrir le vrai talent de Lise.
Et s'en servir à l'occasion...

Mon goût de parler de choses plus sérieuses, c'est le journal *Le Dimanche* et son éditeur Luc Beauregard, maintenant patron de la maison de relations publiques National, qui m'en avaient donné la possibilité. Chaque dimanche, sur deux pages entières, je pouvais énoncer mes opinions avec une liberté totale. J'y racontais mes réactions aux événements de la semaine dans tous les domaines. Je disposais de deux pages complètes pour écrire tout ce qui me préoccupait. Chaque semaine, j'adressais une lettre ouverte à une personnalité bien connue, comme Margaret Trudeau ou Georges-Émile Lapalme, toujours sur le ton de la chanson *Ti-Cul Lachance* de Gilles Vigneault, cette «lettre à un sous-ministre», qui dit : «Tu pens's que j'm'en aperçois pas»...

Quelques jours après l'inauguration officielle de l'aéroport de Mirabel, j'avais écrit ceci :

> *Comme vous, je n'ai vu les cérémonies officielles de l'inauguration de l'aéroport de Mirabel qu'à la télévision et dans les journaux. J'ai bien remarqué que MM. Trudeau, Bourassa, Marchand et Drapeau avaient l'air de quatre petits garçons à qui on venait d'offrir l'équivalent d'un train électrique comme cadeau de Noël. Mais un train pour quatre, ça paraissait déjà poser des problèmes. J'ai aussi regardé passer le Concorde, le «boutte de toutte» dans le domaine de l'aviation moderne. Je ne suis pas sûre que le Concorde soit vraiment le «bel oiseau» dont ses constructeurs n'arrêtent pas de parler. Et je suis loin d'être sûre que j'aie envie de le revoir dans les parages.*

C'est le progrès. Celui dont on parlait au début du siècle comme d'un paradis à venir. Quel paradis! J'en ai souvent contre le prix à payer pour ce foutu progrès, prix qui s'appelle pollution, agression, violence et qui rogne à même le peu qui reste de ce qu'il est aussi convenu d'appeler «la qualité de la vie». Ce progrès-là, c'est loin d'être le paradis.

Moi, ça me dérange que, pour permettre des cérémonies officielles où tout le monde y est allé de son grand sourire et de son petit discours encourageant, on ait été obligé de chasser avec des bombes lacrymogènes quelques manifestants qui en avaient aussi gros sur le cœur que le Concorde lui-même.

Comment se fait-il qu'à une époque comme la nôtre, où un avion met trois heures et «des poussières» à traverser l'Atlantique, ceux qui en avaient la responsabilité n'aient pas réussi à trouver une solution humaine au problème des délogés de Mirabel?

Si la construction de Mirabel était aussi essentielle qu'on l'a dit, pourquoi ne pas avoir traité d'abord et avant tout correctement avec les gens qui se faisaient carrément retirer leurs terres de sous les pieds?

Et puis était-ce aussi essentiel? Cet aéroport ne sera-t-il qu'une autre concrétisation d'un rêve mégalomane avec laquelle nous devrons vivre et composer à tout jamais?

Je n'oublierai jamais le sourire un peu triste d'un «dignitaire» dont j'oublie le nom et à qui un journaliste demandait: «Pourquoi avoir construit Mirabel au moment où le développement de l'aviation commerciale est au point zéro?»

Il a répondu: «Personne ne pouvait prévoir l'augmentation du prix du pétrole.»

Je n'en suis pas encore revenue. Vous faites écrire ce texte-là par Gilles Richer et vous avez tout un public qui se tord de rire. Et pourtant... ce n'est pas du texte inventé. C'est la vérité vraie.

Une solution? Moi, j'en ai une. Aussi folle que l'affaire tout entière qui nous occupe : fermer Mirabel. En faire un Musée de l'avenir et du progrès. Faire payer un droit d'entrée aux visiteurs. Peut-être même acheter un Concorde, pour en empêcher un de voler au moins, et l'installer au beau milieu pour qu'il soit vu et visité par tous. Avec l'argent payé à l'entrée, enfin régler les expropriés qui attendent toujours une solution.

Et puis prier pour que le prix du pétrole baisse. Amen.

Avec ce qu'on sait aujourd'hui, la proposition n'était pas si folle, après tout.

À la fin de l'automne 1975, il restait à rencontrer les journalistes pour faire le bilan financier de la fête nationale. Une fois toutes les recettes et les dépenses comptabilisées, nous avions un léger surplus de quelques milliers de dollars. J'allais profiter de cette occasion pour présenter également mon rapport en tant que présidente.

J'avais longuement réfléchi avant de recommander que la fête nationale ne soit plus sous la responsabilité de la Société Saint-Jean-Baptiste. Cet organisme était un groupe de pression hautement politisé et qui n'avait pas, à mon avis, la neutralité nécessaire pour organiser une véritable fête nationale. Je suggérais que l'organisation des fêtes à venir soit confiée à une corporation autonome et apolitique, et que cette corporation soit autorisée à organiser une loterie annuelle dont elle rendrait compte au ministère des Affaires culturelles du Québec, à qui elle remettrait ses états financiers chaque année. Je voulais ainsi assurer la décommercialisation de la fête à tout jamais et faire disparaître ce côté «quêteux» auprès des hommes d'affaires. J'avais aussi affirmé que, sans ces changements profonds, malgré le succès de la fête nationale de 1975, la réussite dans les années suivantes n'était pas assurée.

Après ce rapport, qui ne fit pas l'affaire de tout le monde, surtout pas de la Société Saint-Jean-Baptiste, des journalistes m'accusèrent de vouloir tout contrôler, de me prendre pour saint Jean-Baptiste lui-même, et de vouloir garder la fête pour ma «clique». Autant d'injures inutiles, entretenues par une certaine presse, qui aurait mieux fait de regarder d'un peu plus près les recommandations réfléchies venues de gens qui avaient à leur crédit l'expérience d'avoir organisé des fêtes dans des conditions difficiles et qui souhaitaient que leurs efforts servent pour l'avenir.

Ce dernier acte posé, le comité organisateur quitta ses fonctions comme prévu, à la suite de cette dernière conférence de presse. Avec un soupir de soulagement, je dois le dire. Et le sentiment d'avoir accompli sa mission.

Pour ma part, j'estimais avoir fait mon devoir jusqu'au bout. J'avais bien analysé le succès de 1975 et j'avais fait les recommandations utiles à toute autre personne qui voudrait reprendre le rôle par la suite. Avec le recul, je réalise que j'aurais sans doute dû crier beaucoup plus fort. Car la suite des événements allait me donner terriblement raison.

Plus tard, siégeant au Conseil des ministres, un mercredi matin, j'écoutai mon nouveau collègue Claude

Charron, ministre des Loisirs, de la Chasse et de la Pêche, et responsable de la fête nationale par ses fonctions, recommander une subvention pour la Société Saint-Jean-Baptiste pour l'organisation de la fête de 1977.

J'eus beau protester, dire que ça n'avait aucun sens, demander qu'on retourne à mon rapport de 1975 car autrement on condamnait la fête à redevenir ce qu'elle avait déjà été, rien n'y fit. Je n'arrivai pas à me faire entendre au Conseil et je ne pus faire comprendre que ce qu'on allait accomplir n'était certainement pas la dépolitisation que nous avions souhaitée en 1975. La proposition de Charron fut entérinée, sous mon nez, sans que j'y puisse changer quoi que ce soit. Si bien qu'encore aujourd'hui ce n'est toujours pas une fête nationale que nous célébrons le 24 juin de chaque année. Pas encore. On y a réintroduit les estrades d'honneur et les commanditaires. Le peuple du Québec, dans toutes ses composantes, ne s'y retrouve toujours pas. On se dispute pour savoir qui sera admis ou pas à la fête. Le 24 juin n'est pas encore la fête de tous les Québécois et c'est bien dommage.

En 1976, je n'ai pas été de la fête. J'ai regardé mon vieil ami Jacques Normand à la télévision. Il était le nouveau président. Mes amis m'avaient dit qu'il valait mieux que je ne me montre pas, à cause de la position que j'avais défendue contre la Société Saint-Jean-Baptiste, et pour ne pas nuire à l'organisation de 1976. Il faisait un temps épouvantable sur le mont Royal et les gens pataugeaient dans la boue.

Quelques jours auparavant, Jean Bissonnette m'avait demandé d'aller présenter le spectacle *Une fois cinq* à Québec. J'y avais retrouvé Yvon Deschamps, Gilles Vigneault, Claude Léveillée, Robert Charlebois et Jean-

Pierre Ferland. Le spectacle était magnifique et le public, très chaleureux.

Les responsables du service de l'ordre m'avaient demandé de prendre en charge l'évacuation du site, qui n'offrait pas de possibilité de sortie rapide. Il fallait donc inviter les gens à quitter les lieux par rangées, lentement, sans bousculade, à partir du fond du bois de Coulonges, après avoir éteint les feux.

Quand je suis sortie de scène, ce soir-là, après avoir rempli ma tâche, Jean Bissonnette m'a prise dans ses bras et m'a dit : «Maintenant, si tu veux faire de la politique, tu peux.»

Je l'ai regardé sans comprendre ce qu'il voulait dire. Jamais il n'avait été question de politique entre nous. Avant même que j'aie eu le temps de lui demander de quoi il parlait, il était déjà passé à autre chose. Et moi aussi. D'ailleurs, de la politique, j'en faisais tous les dimanches dans le journal. C'était mon engagement le plus récent et j'en étais satisfaite. Je pouvais enfin dire ce que j'avais sur le cœur, avec humour et comme je l'entendais.

Comme dans cette lettre ouverte à Margaret Trudeau au moment de la naissance de son troisième fils :

> *Chère madame,*
> *Je voudrais vous offrir toutes mes félicitations à l'occasion de la naissance de votre troisième enfant. S'il est aussi beau que les deux autres, vous aurez toutes les raisons d'être fière.*
> *Je ne vous connais pas personnellement, mais j'avoue que j'ai une certaine admiration pour vous. Parfois, cependant, j'avoue aussi que je m'inquiète de ce que vous devenez, vous, Margaret, au milieu de tous*

ces Trudeau. Parce que vous en avez quatre maintenant pour vous aider à vous réaliser, ou pour vous en empêcher, c'est selon. Je sais bien que vous ne devez pas avoir le temps d'écouter la radio avec la besogne que vous avez à abattre, mais peut-être que si vous le demandiez à votre mari, il vous offrirait le disque dont je veux vous parler. C'est un disque qui fut populaire il y a quelques années et qu'on entend un peu moins maintenant. C'est dommage, car la mélodie était jolie et les paroles vous auraient plu, j'en suis sûre.

On se marie tôt à vingt ans
Et l'on n'attend pas les années
Pour faire trois ou quatre enfants
Qui vous occupent vos journées
Faut-il pleurer faut-il en rire
Fait-elle envie ou bien pitié
Je n'ai pas le cœur à le dire
On ne voit pas le temps passer

Ce qui doit vous réjouir le plus à travers cette expérience, c'est la fierté de votre mari lorsqu'il offre des cigares aux journalistes, dès que le bébé est arrivé. Il est même allé, cette fois-ci, jusqu'à annoncer que ça n'était pas fini et qu'il avait bien l'intention d'avoir aussi une fille. Il y a un proverbe chez nous, au Québec, qui dit : «Une femme avertie en vaut deux.» Sacré Pierre!

J'espère seulement, Margaret, que vous avez été consultée sur ce projet du Premier ministre et qu'il n'en a pas fait un projet d'initiative personnelle... S'il s'est permis de le dire au pays tout entier avant de vous en parler à vous, je crois qu'il faudrait le

226

réprimander. Surtout qu'il semble bien que la tâche de leur éducation, à ces trois petits Trudeau, retombe sur vos épaules. Vous n'étiez même pas remise de votre accouchement que votre Premier ministre de mari faisait déjà les yeux doux à Mirabel lors de son passage à Montréal.

Ce que j'admire chez vous finalement, c'est votre patience. Et je le dis sans rire. Vous me paraissez être, sur ce plan, exemplaire.

Pourtant, de nos jours, nous tentons de développer une nouvelle solidarité entre femmes et j'estime que je vous dois bien une information qui vous sera peut-être utile...

L'autre jour, dans un journal, je lisais une déclaration de votre Pierre. Il expliquait que, selon les savants calculs d'experts en démographie, nous pouvions espérer être 26 millions de population au Canada vers 198... J'ai sursauté et j'ai pensé à vous. S'il fallait qu'il se soit mis dans la tête de combler l'écart entre les 21 millions de maintenant et les 26 qu'il nous promet... TOUT SEUL... Moi, si j'étais vous, je m'informerais de ses intentions.

J'aimais cette collaboration au journal. Cela satisfaisait chez moi un besoin profond. Ailleurs, j'étais associée à un projet qui prenait de plus en plus d'importance pour moi, car il m'ouvrait une voie nouvelle. Colette Chabot, une jeune femme que j'avais connue comme journaliste, avait sollicité ma participation à la fondation d'une station FM dans les Laurentides, CIME FM. Une personnalité bien connue de Sainte-Adèle, Fernand Montplaisir, complétait le trio. Nous avions présenté une demande au CRTC et nous attendions la tenue d'audiences publiques. Le projet était extrêmement séduisant car, pour la première fois de ma vie, au lieu d'être une exécutante, je pouvais envisager d'avoir un mot à dire dans la création même d'une nouvelle radio. Je voyais là la possibilité de mettre au service des autres tout ce que j'avais appris en vingt ans de métier.

J'avais mis beaucoup d'espoir dans ce projet. Je m'imaginais très bien conseillant de nouveaux animateurs et de jeunes annonceurs, suggérant des éléments de programmation qui auraient pu être originaux. Nous avions inclus la nature dans le projet présenté devant le CRTC en introduisant des chants d'oiseaux au moment de l'identification de la station. Nous souhaitions que CIME vive au cœur même de son environnement. Quand la question m'avait été posée, j'avais répondu qu'il était possible que je me consacre entièrement à cette nouvelle radio.

Le CRTC nous communiqua sa décision. Le projet était approuvé. Colette superviserait la construction et l'installation de cette nouvelle station de radio au cœur même des Laurentides. Nous étions enchantés.

Dans mes projets, il y avait également un voyage auquel je rêvais depuis que j'étais enfant. Quelqu'un de l'organisme Canada-Chine, une personne que je ne connaissais pas, m'avait téléphoné un jour pour me proposer un voyage en Chine, avec un groupe de travailleurs. La Chine était très fermée, à l'époque. La Révolution culturelle venait à peine de se terminer et, à l'étranger, on ignorait alors l'ampleur que le phénomène avait connu. On ignorait aussi les ignominies commises au nom de cette Révolution pendant une décennie. Le groupe en question allait voyager avec l'approbation du gouvernement chinois car c'était là la seule façon d'entrer en Chine. J'avais dit oui sans hésiter. On me demanda de payer mon voyage, en me disant qu'on me rappellerait pour me communiquer les dates du départ.

Je rêvais d'aller en Chine depuis mon enfance, alors que les religieuses de mon école nous encourageaient à donner de l'argent pour l'œuvre de la Sainte-Enfance, destinée à venir en aide aux petits enfants chinois. On découpait des images de la Chine partout où on en trouvait et on fabriquait des affiches afin d'encourager notre générosité. Avec vingt-cinq cents, nous «achetions» un petit Chinois. Cela frappait notre imagination. On nous expliquait qu'avec cet argent on sauvait des enfants d'une mort certaine. Comment? Les réponses étaient moins précises sur le sujet dès que nous commencions à nous montrer curieux. Je crois qu'il devait bien y avoir une vingtaine de Chinois qui m'appartenaient puisque je les avais achetés en économisant mon argent de poche chaque semaine. Je prenais la chose très au sérieux et je me privais de friandises afin de sauver le plus de Chinois possible. Devenue adulte, je voulais les rencontrer.

Je m'étais mise à aimer ce pays de loin. Tout ce qui était chinois me fascinait. Adolescente, j'avais lu tout ce que la bibliothèque de mon quartier recelait de trésors sur la Chine, mais ces récits, souvent écrits par des missionnaires, me laissaient sur ma faim. La Chine, c'était bien plus que ce que je trouvais dans les livres, j'en étais certaine. Ça me faisait rêver.

J'avais failli y aller une fois avec un groupe de journalistes, à partir de Paris. Puis le voyage avait été annulé. Je trouvais donc que j'avais beaucoup de chance, puisqu'une deuxième occasion se présentait maintenant. Je rêvais à la Chine depuis si longtemps que rien au monde n'aurait pu me convaincre de renoncer à ce voyage.

Ces deux projets me rendaient heureuse. Je trouvais que j'étais choyée. Qu'est-ce que j'avais à demander toujours à la vie plus que ce qu'elle me donnait déjà? Je me mis à apprécier un peu plus *Lise Lib* car cette émission me permettait de consacrer du temps à toutes sortes de choses qui me tenaient à cœur. Au fond, ce qu'il fallait que j'admette, c'est qu'il n'y avait pas que la télévision dans la vie. Ainsi, j'aurais la paix.

27

Je prends les armes pour Tricofil

Je n'étais jamais en paix très longtemps. Comme tout le monde, j'avais encore les expropriés de Mirabel sur le cœur et je trouvais le climat social assez pourri dans un Québec où un affrontement n'attendait pas l'autre. J'avais suivi la démarche des travailleurs de Tricofil, qui avaient choisi l'autogestion pour contrer la disparition de leur usine. Comme la population entière, j'en avais assez de l'arrogance affichée par les ministres du gouvernement Bourassa et par ceux du fédéral.

J'avais suivi l'enquête de la commission Cliche sur les actions syndicales dans l'industrie de la construction. J'avais été rivée à mon appareil de télévision durant les interrogatoires de la CECO (Commission d'enquête sur le crime organisé), présidée par le juge Jean Dutil. C'est au bulletin de nouvelles télévisé que j'entendis parler de Tricofil à nouveau. Il y avait des entrevues avec des travailleuses de l'usine, puis avec Paul-André Boucher, le président du groupe des travailleurs. Il expliquait les démarches entreprises par ceux-ci pour racheter l'usine de Saint-Jérôme, qu'ils louaient à leur ancien employeur, la Regent Knitting. M. Boucher expliquait que les travailleurs voulaient sauver leurs emplois, que le loyer de l'usine était trop élevé et que l'achat leur permettrait de continuer l'expérience qu'ils avaient entreprise. Ils demandaient l'aide gouvernementale.

En l'écoutant, je le trouvai sympathique. Il avait une bonne tête. Je reconnaissais à ces travailleurs du courage de se lancer dans une telle entreprise. Puis je vis le ministre Guy St-Pierre à l'écran, le titulaire du ministère de l'Industrie et du Commerce, répondre que le gouvernement du Québec ne ferait rien pour sauver une affaire condamnée d'avance. Ou quelque chose du genre. Il avait ce ton méprisant qu'affectionnaient les ministres, à cette époque-là, dès qu'ils apparaissaient devant des caméras de télévision.

J'étais furieuse. J'étais aussi en colère que si c'était à moi qu'on avait dit non aussi bêtement. Tout simplement parce qu'il était rare de voir, à cette époque, un groupe de travailleurs se lever pour dire qu'ils ne voulaient pas disparaître. Il y en eut beaucoup d'autres par la suite.

J'étais très sensible au sort des miens depuis les fêtes du mont Royal, je l'avoue. J'ai toujours eu un vieux fond de Don Quichotte en moi et je venais de trouver un autre moulin à vent. Le soir même, j'ai obtenu le numéro de téléphone de Paul-André Boucher et, quand je l'eus joint, je lui ai dit que je venais de voir le bulletin de nouvelles, que j'étais touchée, et je lui ai demandé de quelle façon je pourrais leur être utile.

C'est ainsi que tout a commencé. J'en avais assez de recevoir des informations dans mon fauteuil, de façon passive. J'ai réagi.

À Saint-Jérôme, le lendemain, j'ai rencontré tout le monde. Paul-André, mais aussi Jean-Guy Frenette, de la

À l'automne 1975, le public me décerna
le prix Olivier-Guimond,
qui était remis à l'artiste le plus populaire.
Un grand honneur.

Le prix m'a été remis par Jean Duceppe,
le gagnant de l'année précédente,
lors de l'émission de Jacques Boulanger.

Lise Lib a pris la relève d'*Appelez-moi Lise*,
en septembre 1975. L'émission se fait en public.
L'orchestre est sous la direction de Cyril Beaulieu.

Le 15 novembre 1976, c'est l'euphorie.
« Nous sommes peut-être quelque chose
comme un grand peuple. »

« À partir d'aujourd'hui,
demain nous appartient.»

Je pensais joindre les rangs de l'opposition
et nous voilà au pouvoir.

Laurent est juste là, derrière,
veillant sur moi.

Entre mes amis Denise Filiatrault
et Doris Lussier.
Je me demande encore ce qui m'arrive.

FTQ, qui était le conseiller économique des gens de Tricofil. J'ai visité cette très vieille usine que tous les ouvriers considéraient comme un véritable château. J'ai vu surtout ce qu'ils y fabriquaient, et, quand Jean-Guy Frenette m'a demandé pourquoi je m'intéressais à Tricofil, j'ai répondu : «J'aime mieux porter Tricofil sur mon dos que sur ma conscience.»

C'est devenu mon slogan.

J'allais prendre position. Je le ferais publiquement. Cela prit encore tout le monde par surprise. Nous avons organisé des dimanches à Tricofil où le public pouvait venir acheter des vêtements et faire la connaissance des travailleurs.

Un soir, je me suis retrouvée rue Sherbrooke Ouest, dans une maison qui semblait être la propriété de l'archevêché de Montréal, avec Alfred Rouleau, le président du Mouvement Desjardins, et Mgr Jean-Marie Lafontaine, le trésorier de l'archevêché. Paul-André Boucher était aussi présent. Il fallait envisager une levée de fonds pour venir en aide à Tricofil. On prit la décision de solliciter toutes les communautés religieuses. Mgr Lafontaine nous confirma qu'elles sauraient se montrer généreuses.

Je trouvais la situation d'autant plus étrange que la non-croyante que j'étais se retrouvait dans l'antre des gens d'Église sans l'avoir cherché. Je m'en ouvris à Alfred Rouleau à la sortie de cette réunion, et, au beau milieu du trottoir de la rue Sherbrooke, il se mit à rire de bon cœur en me disant : «Vous n'avez pas fini d'en voir, vous ne faites que commencer.»

Je me suis beaucoup investie dans Tricofil. J'y ai mis tout mon cœur. D'autres ont apporté leur appui à l'entreprise également : Yvon Deschamps, quelques artistes, mais aussi Pierre Marois, qui agissait comme conseiller juridique depuis un moment. L'usine était toujours ouverte, mais ça ne faisait pas bouger le gouvernement. Au cours d'entrevues que j'ai données, j'ai expliqué que choisir de porter du Tricofil, c'était une décision politique. Choisir un vêtement fabriqué au Québec par des syndiqués québécois et qui coûtait plus cher qu'un vêtement semblable fabriqué à Hong-Kong ou ailleurs dans le monde, c'était une décision politique. Faire travailler des gens d'ici au lieu de faire travailler des gens d'ailleurs, c'était hautement politique. Je me suis mise à dire que tout ce qu'on faisait était politique. Chaque décision prise dans une journée était une décision politique parce qu'elle avait une influence sur la vie de la collectivité.

À Québec, les députés du Parti québécois qui formaient l'opposition se sont faits les défenseurs de Tricofil et ont placé le ministre St-Pierre au pied du mur.

Un jour que je rentrais de Québec, j'entendis à la radio que le cas de Tricofil serait discuté à l'Assemblée nationale un peu plus tard dans la journée. Je n'avais jamais assisté aux débats. Je connaissais l'édifice du Parlement pour y être déjà allée remettre son trophée à Jean Lesage, alors Premier ministre du Québec, qui avait été élu le plus bel homme du Canada, plusieurs années auparavant. Nous avions aussi diffusé une émission de *Place aux Femmes* en direct du Salon rouge, à une autre occasion. Je fis demi-tour sur la route 20 pour retourner à Québec. Je me rendis directement à l'édifice du Parlement et j'obtins la permission de m'asseoir à la tribune de la presse. Le seul journaliste présent, Normand Girard, du *Journal de Montréal*, fut amusé de me trouver là. Il me fit remarquer qu'avant l'ouverture de la séance la rumeur de ma présence se répandrait et il me dit : «Ils vont tous venir jeter un coup d'œil.» Je ne savais pas de qui il parlait. Effectivement, plusieurs personnes vinrent m'observer à tour de rôle, y compris Robert Bourassa lui-même. Je suivis ensuite l'ouverture des travaux avec attention, puis la période de questions. À la fin, me voyant me lever, Normand Girard m'a demandé : «Vous partez déjà?» J'ai répondu : «Quand je reviendrai, ce sera pour m'asseoir en bas.»

La remarque de Jean Bissonnette avait dû faire son chemin dans mon subconscient. Riche de l'expérience de Tricofil, il me semblait tout à coup que ma route se trouvait toute tracée. Assise dans ma voiture, je réalisai l'importance de ce que je venais de déclarer. Pendant tout le voyage de retour, je me dis que je n'avais pas le choix, que je n'avais pas dit ça pour rien et qu'il fallait que j'aie le courage de voir les choses en face.

Pendant tout le trajet, je me répétais sans cesse que j'avais «mal à ma fierté». J'en avais assez d'être déçue de l'état de la société québécoise. Cette horrible impression de tourner en rond et de ne jamais aller nulle part me rendait triste. J'étais convaincue que nous pouvions faire mieux et qu'avec un peu d'efforts nous pourrions aller «un peu plus haut, un peu plus loin» tous ensemble.

Le spectacle des débats parlementaires m'avait paru une telle parodie de la démocratie que j'en avais été gênée. Le comportement des députés du pouvoir m'avait laissée abasourdie tant il me paraissait vulgaire. Je me répétais intérieurement cette phrase de Thérèse Casgrain que j'avais entendue si souvent : «Si des gens bien ne font pas de politique, ça voudra dire qu'on laisse la politique à n'importe qui.»

En arrivant à la maison, je m'empressai de raconter à Laurent ce que je venais de vivre. Je lui répétai toutes les bonnes raisons que j'avais trouvées pour justifier ma tentation. Lui dont j'attendais qu'il m'explique que ça n'avait aucun sens me dit plutôt : «Jamais je ne t'empêcherai de faire ce que tu veux faire. Si c'est ce que tu veux, vas-y.»

Il me mit cependant en garde contre l'emportement d'un coup de tête. Il m'obligea à me demander si je me sentais prête à assumer cette vie de fou avec tout ce qu'elle comportait sûrement de déceptions et de frustrations. Il m'assura que je pouvais compter sur lui et qu'il ferait tout ce qu'il pourrait pour que l'harmonie de notre relation subsiste. Nous finîmes par nous promettre de ne jamais laisser la politique nous séparer.

Je lui dis ma reconnaissance pour sa compréhension et sa disponibilité. Je lui indiquai que je contacterais le Parti québécois, parce que ce parti était celui avec lequel je me sentais le plus d'affinités. Je n'étais encore membre d'aucun parti et je ne savais pas si le Parti québécois m'accepterait dans ses rangs. Il restait donc à prévenir mes enfants, car je ne pouvais penser prendre une telle décision sans connaître leur opinion.

28

Une démarche secrète

À René Lévesque, au téléphone, j'ai seulement demandé : «Est-ce que je peux vous être utile?» Il y a eu un silence, puis il m'a répondu : «Il faudrait que je vous voie, mais pas en public.» Je lui ai proposé de venir à la maison deux ou trois jours plus tard, un après-midi, après mon travail. Il a accepté.

Le jour fixé pour la rencontre, j'avais une réunion à Radio-Canada qui dépassa largement le temps prévu. Il n'y avait personne à la maison à qui je pouvais téléphoner pour prévenir de mon retard. Je n'avais aucun moyen non plus d'avertir René Lévesque. Quand je réussis à quitter Radio-Canada, j'avais déjà plus d'une heure de retard. Je me dis que c'était là un coup du destin et que Lévesque serait sûrement reparti après avoir constaté qu'il n'y avait pas âme qui vive à l'adresse que je lui avais donnée. Durant le trajet, je me demandais si j'aurais le courage de le rappeler ou bien si je laisserais les choses où elles en étaient, en me disant que ce n'était pas mon tour, tout simplement.

Je fus très surprise, à l'approche de la maison, d'apercevoir une vieille voiture garée dans l'entrée. Je n'osais imaginer que le chef du Parti québécois pouvait m'avoir attendue si longtemps. Il était pourtant bel et bien là, en train de lire, dans sa vieille bagnole dont je n'aurais même pas pu dire la couleur. Je lui fis toutes les excuses possibles et je l'invitai à entrer. Je ne sais pas pourquoi, au lieu de le faire asseoir au salon, je me dirigeai, le précédant, dans la salle à manger. J'y avais une table de ferme ancienne, étroite et longue de trois mètres, et, sans l'avoir planifié, nous nous sommes assis l'un en face de l'autre, de chaque côté de la table, sans dire un mot. Je lui ai demandé s'il voulait un café. Il a répondu : «Plus tard.»

Il m'a ensuite regardée et il m'a demandé : «Quel âge avez-vous ?» La question, posée de façon aussi directe, m'a figée. J'ai répondu que j'allais avoir quarante-cinq ans. Il a répliqué : «C'est un bon âge.»

J'ai repris le même discours déjà tenu à Robert Burns. J'ai insisté sur le fait que je sentais profondément qu'il fallait que je «fasse quelque chose». Je voulais être utile et avoir le sentiment de participer au devenir de ce peuple-là. J'ai ajouté que je me considérais comme quelqu'un plutôt de gauche que de droite, mes vieux engagements auprès du NPD ne demandant rien de mieux que de remonter à la surface. Il a ri. Il m'a expliqué qu'au Parti québécois il y avait trois portes d'entrée, à gauche, au centre et à droite, et que j'étais libre de choisir celle par laquelle je voulais entrer.

Puis il m'a dit : «Il me reste trois comtés disponibles : Gouin, Dorion et celui qu'on gardait pour moi, Taillon, sur la rive sud.» J'ai répondu : «J'avais pensé à Saint-Henri. J'aimerais travailler pour ceux à qui je dois tout.» Il m'a indiqué que c'était bien dommage mais que Jacques Couture «travaillait» ce comté-là depuis des mois, et que ce serait injuste de le lui enlever à la dernière minute. Je reconnus qu'il avait raison, mais j'en fus attristée. Il dit que Dorion était aussi un peu réservé à Jacques Léonard mais que ce dernier serait tout aussi heureux dans une circonscription des Laurentides. Il m'offrit de nouveau Taillon. Le sien. Je demandai à réfléchir. Il s'engagea à me faire parvenir rapidement les profils de ces trois comtés afin que je puisse faire un choix plus éclairé. Je lui dis que les profils de Dorion et de Gouin suffiraient. Il insista enfin sur le fait qu'il fallait que cette démarche reste strictement entre nous jusqu'à ce que l'élection soit déclenchée. Rien ne devait filtrer avant.

La confidentialité m'arrangeait. J'allais entreprendre la deuxième saison de *Lise Lib* et je ne voulais pas me retrouver au chômage immédiatement. Là-dessus, nous nous sommes serré la main.

Comme prévu, je reçus les profils des comtés que j'avais demandés. Il n'était pas question pour moi d'enlever à Lévesque la circonscription que son équipe lui avait réservée. Il ne restait donc que deux possibilités, Gouin et Dorion, qui avaient beaucoup de ressemblances. Je choisis Dorion, parce que René Lévesque y avait déjà été défait et que ça rendait le défi encore plus intéressant. Je me rappelais aussi qu'une femme avait déjà tenté de s'y faire élire, bien longtemps auparavant, au fédéral cependant : Idola Saint-Jean, qui avait mené avec Thérèse Casgrain, dans les années 40, la lutte pour l'obtention du droit de vote des femmes au Québec.

Tout allait très vite. Trop. Quand fut finalement venu le moment d'expliquer à mes enfants que leur mère allait faire le saut en politique, j'étais prête à ouvrir la bouteille de champagne. Je les invitai au restaurant *Chez Pauzé*, un samedi soir. Je voulais que nous soyons à table en même temps, sans être dérangés, pour leur annoncer la nouvelle. Je fus très étonnée de constater que cette nouvelle leur faisait l'effet d'une douche froide.

Ils n'aimaient pas l'idée. C'était visible à l'œil nu. Dès que j'eus fait mon annonce, je vis les regards s'assombrir autour de la table. Chacun y alla de son explication maladroite en choisissant ses mots, mais il était évident que si je m'attendais à des hourras, ils ne viendraient pas. Du moins, pas ce soir-là.

Aucun d'entre eux ne l'aurait dit, mais je venais de réaliser quelle mère emmerdeuse je devais être souvent pour eux. Je prenais tellement de place à certains moments qu'ils devaient dépenser toutes leurs énergies à essayer de me tenir à distance pour pouvoir assumer leur propre vie et relever leurs propres défis. Ce n'était déjà pas facile d'avoir une mère aussi connue, d'être «le fils de» ou «la fille de» sans arrêt, de devoir me défendre quand on m'attaquait, ce qui arrivait souvent, il faut bien le dire.

Ce n'était pas aisé de tenir bon devant les moqueries, les méchancetés, tout en continuant d'affirmer aussi sa propre identité. Et j'allais en rajouter! Je n'eus pas le courage de leur répéter encore une fois que je n'avais pas choisi d'être ce que j'étais, mais que, forcée de gagner ma vie, j'étais passée tout droit et que je connaissais une popularité que je n'avais pas prévue. Ils avaient déjà entendu tout ça.

Puis la tristesse s'installa. Je leur expliquai que je ne serais plus jamais bien dans ma peau si je n'allais pas au bout de cette aventure qui venait de commencer pour moi. Je m'excusai d'être aussi dérangeante et je leur rappelai que je les aimais plus que tout au monde.

Je ne me souviens plus précisément de ce que Laurent a ajouté. Il a dû plaider pour la liberté de chacun de choisir ses engagements, je crois. Mais moi, je n'entendais plus rien. J'avais peine à respirer tellement j'avais envie de pleurer.

Je comprenais très bien. Je me traitais d'égoïste. Je n'avais pensé qu'à moi sans me préoccuper de ce que tout cela représenterait pour eux. Je les avais pris par surprise, en plus, alors que j'aurais dû leur en parler tout au long de ma démarche. Je ne savais plus quoi faire. Je désirais leur appui de tout mon cœur et ils étaient plus que tièdes.

Il me fallut des jours pour m'en remettre. Le refus ne signifiait pas nécessairement la même chose pour mes trois enfants. Il y avait des nuances. Mais je n'avais pas obtenu leur accord spontané. Jamais je n'avais été aussi défaite. Dix fois, j'eus envie de tout annuler, de dire à René Lévesque de m'oublier, mais je ne le fis pas.

Et puis, tout doucement, leur opposition s'est atténuée. Il n'y avait jamais eu de rupture entre mes enfants et moi, si bien que nous avons pu nous en reparler souvent par la suite. Ils ont fait leur bout de chemin pendant que je faisais le mien. J'essayais de diminuer l'importance de mon geste en leur disant qu'il se pouvait bien que je ne sois pas élue. C'était un risque à courir. Je sollicitais un siège dans l'opposition, mais il se pouvait bien que je me retrouve devant rien du tout.

C'est en le disant aux enfants pour atténuer le choc que je leur causais que je réalisai que c'était là une possibilité. Je pouvais être battue. Ce que je deviendrais alors, c'était une tout autre question à laquelle je ne voulais même pas penser. Une chose à la fois. Si j'étais battue, je verrais alors ce que je ferais.

29

Je ne dirai rien,
même sous la torture

J'étais tenue au secret. Donc, isolée. Je m'appliquais cependant à bien comprendre ce qui se passait sur la scène politique, pour être tout à fait prête si l'élection était déclenchée.

Le gouvernement Bourassa ayant été réélu en 1973, il était tout à fait possible que les élections n'aient lieu qu'en 1977, ou même, à la limite, en 1978. Le climat social était si mauvais en 1975-1976 et l'insatisfaction générale, si grande, que l'autorité de l'État aurait été mise en danger si le gouvernement avait attendu trop longtemps.

Des débrayages généralisés paralysaient les écoles et les hôpitaux. Trudeau affirmait déjà son intention de rapatrier la Constitution malgré l'opposition du Québec. Le dossier des jeux Olympiques et de leur financement faisait hurler la population. Les scandales se succédaient. Les débardeurs avaient fait la grève. Partout on dénonçait le patronage des libéraux. Le rapport Cliche blâmait le gouvernement Bourassa pour le chaos qui régnait dans l'industrie de la construction. On découvrait le personnage de Dédé Desjardins et on demandait des comptes tant aux syndicats qu'au gouvernement. La grève de la United Aircraft avait fait mal et le scandale de la viande avariée avait soulevé un dégoût général. La loi 22 avait provoqué une immense colère partout. Personne n'y avait trouvé son compte. Les anglophones la trouvaient trop dure, et les francophones ne se sentaient pas protégés par elle. Il y avait eu de la violence, et le ministre Jérôme Choquette avait claqué la porte du gouvernement en déclarant que la loi 22 était inapplicable. La CECO avait entendu les plus célèbres maffiosi du Québec et avait mis trois cents crimes en preuve. Après enquête, on avait découvert des cas de fraude à la Société des alcools du Québec. Les frères Dubois avaient été mis en prison parce qu'ils avaient refusé de répondre aux questions de la CECO, mais ils avaient été libérés sous cautionnement. Une bonne partie de la pègre avait pris la route de la Floride.

On tenait le gouvernement responsable de tout. Dans ces conditions, on aurait pu croire sa défaite quasi certaine. Pourtant, tel n'était pas le cas. Il avait perdu beaucoup de sa popularité, mais, au dire des analystes, il avait encore beaucoup de chances de remporter la victoire aux prochaines élections.

Le Parti québécois faisait encore peur. Même son engagement de tenir un référendum durant son premier mandat afin de consulter la population sur l'éventuelle souveraineté du Québec n'avait pas rassuré tout le monde. René Lévesque affirmait que son parti était prêt à remplacer le gouvernement, mais le seul espoir réaliste résidait dans l'augmentation sensible de l'opposition officielle.

Je consacrai tout le début de l'été 1976 à la lecture de dossiers de presse que j'avais accumulés sur tous les sujets possibles concernant le Québec. Je voulais être prête quoi qu'il arrive. Avec Laurent, qui avait vécu toute son enfance rue de Gaspé, je fis le tour de Dorion pour me familiariser avec les frontières du comté et prendre le pouls de sa population. Laurent m'avait parlé des gens qui habitaient ce coin de Montréal et j'avais l'impression de retrouver chez eux la même entraide et la même fierté qui faisaient le bonheur de vivre à Saint-Henri. Je m'y sentais à l'aise.

En juillet, pendant quatorze jours d'affilée, dans le grand studio de Radio-Canada, j'animai une émission spéciale durant les jeux Olympiques de Montréal. J'y reçus des invités étonnants, comme Leni Riefenstahl, l'actrice et cinéaste allemande qui, à la veille de la Deuxième Guerre mondiale, réalisa le fameux film sur les jeux Olympiques de Berlin en 1936, *Les Dieux du stade*. La vieille dame qu'elle était devenue se spécialisait dans la photographie d'athlètes noirs. Elle venait de publier un album magnifique. Malgré ses quatre-vingts ans avoués, elle faisait encore de la plongée sous-marine sur les côtes de l'Afrique et de l'Amérique du Sud. Elle avait posé comme condition préalable à son interview que je n'aborde pas le rôle qu'elle avait joué durant les années qui avaient précédé la guerre. Nous avions pesé les avantages et les désavantages d'une telle condition. Nous avions choisi de la recevoir malgré tout, pour que les téléspectateurs puissent la voir, et savoir ce qu'elle était devenue. Cela nous a quand même valu des critiques acerbes des milieux juifs de Montréal, qui auraient préféré qu'on ne souligne d'aucune façon sa visite.

J'eus le bonheur d'interviewer la superbe gymnaste roumaine Nadia Comaneci, la vedette incontestée de ces Jeux. J'avais dû faire taire son entraîneur, Bella Coralli, qui prenait beaucoup trop de place. Il vit maintenant aux

États-Unis, où il entraîne l'équipe américaine de gymnastique féminine. Aux Jeux de Montréal, il se comportait comme s'il avait pour instructions strictes de ne pas laisser parler Nadia. La petite a chanté en français *Ah! vous dirais-je, maman?* et les chaînes du monde entier ont repris ce beau moment de télévision.

Je ne me souviens plus du nom de ce cheik important que j'ai aussi reçu en entrevue. Je me suis amusée à lui demander combien d'argent il avait sur lui et il m'a répondu qu'il n'avait pas un sou. Pourquoi en aurait-il eu, puisqu'il était riche comme Crésus?

Je reçus également le représentant de l'URSS, qui serait le pays hôte des Jeux suivants, et je lui suggérai d'acheter le stade olympique de Montréal au lieu d'en construire un nouveau à Moscou. Nous aurions pu lui livrer le nôtre en pièces détachées, numérotées, afin que l'assemblage soit plus aisé. J'ajoutai que cela serait une bonne façon de nous débarrasser de notre éléphant blanc et de leur éviter de faire la même bêtise. Il refusa mon offre en riant. Je finis par suggérer que nous demandions à l'armée canadienne de faire sauter notre stade dès la fin des Jeux, ce qui nous coûterait moins cher que de vouloir le garder. L'avenir devait me donner raison, hélas! Si on m'avait écoutée, nous ne serions pas encore en train de le payer, vingt ans plus tard, et on ne serait certainement pas en train d'y installer un nouveau toit.

Cette série d'émissions fut un feu roulant de médailles, de muscles et d'humour. Pour la dernière, nous avons invité France Castel à chanter *Quand les hommes vivront d'amour,* la magnifique chanson de Raymond Lévesque, et c'est dans le silence total du studio que nous avons réalisé que les jeux Olympiques constituaient un étrange rendez-vous où l'argent jouait un rôle bien plus grand que l'amour.

En septembre, excitée par l'attente, mais toujours sous le sceau du secret, je repris le chemin de mon studio habituel. *Lise Lib* revenait à l'antenne, mais, cette fois, le jeudi soir. La direction pensait que ce changement de case horaire pouvait aider à mieux positionner l'émission, qui n'avait pas connu un succès suffisant l'année précédente.

Je commençais à me faire à l'idée que les élections ne seraient déclenchées qu'au printemps 1977 et je prenais mon mal en patience. Je fis donc une première émission en septembre 1976, puis une deuxième et une troisième.

Un jour, me présentant à la porte d'entrée de Radio-Canada, je constatai que les techniciens avaient débrayé pour manifester contre le gel des salaires par Ottawa. Ils avaient dressé une ligne de piquetage, que je refusai de franchir. J'attendis les musiciens de l'émission et nous nous joignîmes aux piqueteurs au lieu d'aller enregistrer l'émission ce jour-là.

Le lendemain, Robert Bourassa annonça que les élections auraient lieu le 15 novembre l976. J'avais fait ma dernière émission de cette série sans le savoir. Je ne dirais au revoir ni au public ni à mes camarades de travail.

Ma décision constituerait une surprise pour bien du monde. On avait pourtant déjà écrit dans certains journaux que je serais candidate, mais, comme je n'avais jamais rien confirmé, la rumeur était restée une rumeur.

Marcel Léger me téléphona rapidement pour me dire qu'il y avait déjà une date prévue pour la conférence de presse au cours de laquelle j'annoncerais officiellement ma candidature dans Dorion. Par souci d'honnêteté, je m'empressai de faire connaître ma décision à mes patrons de Radio-Canada.

La conférence de presse eut lieu dans Dorion le 15 octobre, à onze heures du matin. Marcel Léger, qui était le responsable de l'organisation dans Montréal, était présent, tout comme René Lévesque, qui marquait ainsi l'importance qu'il accordait à ma candidature. J'avais été «parachutée» par le parti, malgré la grogne qu'avaient manifestée certains dirigeants de Dorion. L'association locale avait la réputation d'aimer les querelles et la présidente de l'exécutif menait la lutte contre moi. Michel Carpentier, le bras droit de Lévesque au parti, avait fait en sorte que j'obtienne ma carte de membre peu de temps avant la conférence de presse.

Je marchais sur des œufs. La conférence de presse se déroula très bien. Les journalistes se présentèrent en grand nombre, ce qui fit dire à Marcel Léger que je jouerais un rôle important dans l'organisation de la campagne.

Le courrier qui m'arriva dans les jours qui suivirent l'annonce officielle de ma candidature avait de quoi m'étonner. On m'engueulait parce qu'on avait cru que je serais candidate libérale, peut-être à cause de *Lise Lib*, ce titre dans lequel on avait pensé déceler un signe. Cela me permit d'affirmer que j'avais toujours agi correctement comme animatrice puisqu'on avait été incapable de prédire mon choix.

Cela n'empêcha pas que mon «cas» fut discuté en long et en large à la Chambre des communes. Albert Béchard, le député libéral de Bonaventure et des Îles-de-la-Madeleine à Ottawa, voulait qu'on s'assure, à Radio-Canada, que je ne pourrais jamais plus reparaître devant les caméras, car j'étais «une méchante séparatiste qui voulait la destruction du Canada.»

Mes patrons se révélèrent heureusement plus modérés. Je reçus une lettre officielle m'annonçant qu'on mettait fin à mon contrat d'animation, pour les raisons que je savais, et qu'on estimait ne plus rien me devoir. À des journalistes qui l'interrogeaient, Raymond David, le vice-président de Radio-Canada pour le réseau français, répondit que je pourrais toujours revenir comme recherchiste aux émissions religieuses ou aux émissions scientifiques, mais certainement pas devant les caméras!

J'ai toujours été convaincue que les choses ne se seraient pas passées de la même façon si j'avais été candidate libérale. J'en veux pour preuve le tapis rouge qu'on a déroulé récemment pour Liza Frulla, qui, avant même d'avoir quitté le Parti libéral du Québec et son poste de députée, pouvait annoncer qu'elle allait animer une émission d'une heure chaque jour, et ce sans avoir aucune expérience du métier d'animatrice. Il est vrai qu'être libéral, à Radio-Canada, a toujours été l'équivalent d'être neutre. On est partisan seulement quand on est péquiste! Libéral, on fait partie de la grande famille des bien-pensants. Péquiste, c'est une autre histoire. Le purgatoire n'est certainement pas le même pour tout le monde.

Je n'avais pris qu'un seul engagement véritable vis-à-vis de mon équipe de Dorion. Je ferais campagne seulement dans Dorion. Je n'accepterais d'aller ailleurs dans Montréal ou au Québec que quand mon élection comme députée du Parti québécois dans Dorion serait assurée. J'ai tenu parole.

J'ai mis sur pied mon équipe en quelques jours. J'ai rappelé des anciens de la fête du mont Royal. Je n'osais pas encore contacter Jean Fournier, même si je savais que c'était lui qu'il me fallait, de peur qu'il ne refuse ma demande. Quand je l'ai fait, après avoir consulté ceux qui le connaissaient depuis longtemps, il a accepté sans hésiter. Il a été le «doc» (directeur de l'organisation de comté) le plus extraordinaire de tous les comtés de Montréal.

Nous nous sommes entourés de bénévoles du comté, tous des péquistes de longue date qui avaient vécu la défaite de René Lévesque et avaient des comptes à régler avec ce comté. J'ai aussi fait appel à d'autres personnes avec qui j'avais noué des liens au fil du temps, comme Yvon Deschamps, qui accepta de faire un monologue et de l'enregistrer pour mon comité. Fernand Montplaisir accepta de venir faire du porte-à-porte avec moi dans un comté qui se trouvait bien loin de chez lui. Je pouvais compter sur les conseils de gens du métier comme Jean Bissonnette et Jean-Claude Lespérance, le producteur des plus gros spectacles réalisés au Québec. J'ai vu Denise Bissonnette colliger des listes électorales pendant des heures, et des amies d'enfance rappliquer pour offrir leurs services.

Ma plus belle découverte dans Dorion fut une jeune femme du nom d'Huguette Lachapelle. Jean Fournier me l'avait recommandée comme accompagnatrice. Nous allions passer quelques semaines ensemble dix-huit heures par jour. Elle connaissait tout le monde dans le comté, où elle vivait avec son mari Guy et ses deux enfants. Elle était intelligente et sympathique, souvent drôle à mourir, et dévouée comme dix. Quand j'en avais assez de grimper les escaliers pour répéter mon boniment et que je m'en plaignais, elle me parlait de la belle vieille dame qui nous attendait en haut et qu'il ne fallait pas décevoir parce qu'elle avait fait son grand ménage pour nous recevoir. Elle organisait mes rencontres de cuisine et, même après m'avoir entendue dix fois, vingt fois, elle m'écoutait encore comme si elle m'entendait pour la première fois. Elle avait tendance à se sous-estimer, comme le font trop souvent les femmes qui sont confinées au foyer depuis plusieurs années. Je m'employais à lui redonner confiance en elle, à lui dire les qualités fabuleuses qu'elle avait et à l'encourager à sortir de son cocon. Elle y réussit si bien par la suite qu'elle fut ma secrétaire de comté pendant plus de quatre ans et que c'est elle qui devait l'emporter dans Dorion comme candidate du Parti québécois à l'élection de 1981. Elle a siégé à l'Assemblée nationale, où elle occupa aussi le poste de whip du parti pendant des années.

Pendant un mois, je passais tout mon temps dans Dorion. Chaque matin, Huguette me remettait mon emploi du temps pour la journée et il ne me servait à rien de dire que j'étais fatiguée ou que je n'avais pas envie de faire ceci ou cela. L'horaire de la journée était non négociable. Dixit Jean Fournier. « Vous voulez gagner ou pas ? » demandait-il.

Mes amis et nouveaux associés, Colette Chabot et Fernand Montplaisir, se trouvaient dans l'embarras à cause de mon engagement politique. La construction de la nouvelle station de radio avait commencé dans les Laurentides et CIME FM comptait bien prendre l'antenne comme prévu, mais ma condition de candidate mettait tout le monde mal à l'aise. Je me retirai du projet le cœur gros mais comprenant bien que je ne pouvais pas courir deux lièvres à la fois. Ma participation à l'entreprise fut reprise par le technicien qui allait bâtir CIME, ce qui n'était que justice. Je tournai la page avec regret.

Si j'étais défaite à l'élection de novembre, je ne pourrais trouver de travail à Radio-Canada. C'était très clair. Je venais d'abandonner aussi l'un des plus beaux projets de ma vie, cette radio privée dans les Laurentides. Il m'arrivait d'envier ceux des candidats qui bénéficiaient d'un congé pour la campagne électorale et, mieux encore, ceux qui auraient droit à un congé sans solde pendant toute la durée de leur séjour en politique, avec l'assurance de reprendre leur emploi à la fin de leur engagement. Ce n'était pas mon cas.

De temps en temps, quand mon moral était à plat, j'essayais de «débaucher» Huguette en lui proposant d'aller plutôt au cinéma que de visiter les marchands de la rue Saint-Hubert. Rien ne la faisait changer d'idée.

Je remportai un succès un matin en acceptant l'invitation de John Robertson à la radio anglophone de Montréal. On le connaissait comme étant complètement déchaîné contre le Parti québécois. J'avais accepté son invitation comme un défi. Ma seule crainte venait de ce qu'il m'était encore difficile de maîtriser le vocabulaire politique en anglais. Refuser l'invitation, cependant, c'eût été priver la souveraineté d'une tribune très écoutée par les anglophones.

L'entrevue s'avéra presque amicale. Les journaux en firent leur première page le lendemain. Tout le monde se déclarait étonné que j'aie réussi à mettre un dur à cuire comme Robertson dans ma poche. Il m'avait même souhaité «bonne chance» pour l'élection du 15 novembre à la fin de l'entrevue. C'était une énorme victoire car il avait semblé comprendre pourquoi la souveraineté était une option parfaitement légitime pour le Québec et son comportement avait révélé une ouverture d'esprit inhabituelle.

Ces apparitions à la radio et à la télévision constituaient mes seules sorties hors de Dorion. Jean Fournier n'en démordait pas : je devais rester dans le comté. Nous savions que nous aurions contre nous deux énormes machines électorales, celles d'André Ouellet et de Marcel Prud'homme, députés fédéraux dans le même territoire que Dorion. Nous n'avions pas le droit de nous tromper. Mes horaires resteraient chargés.

Mes assemblées publiques étaient d'énormes succès. Jean Fournier refusait de tirer la conclusion facile que, si celles-ci marchaient bien, le vote serait en ma faveur. Je bénéficiais d'une couverture nationale, c'est-à-dire que les journaux et la télévision me traitaient comme une candidate importante. Ce qui, selon Fournier, pouvait fausser les données dans Dorion. Il pensait aussi qu'on venait encore voir la vedette de télévision à ces assemblées. Je n'y élevais jamais la voix. Je parlais aux gens comme si j'avais parlé à la caméra. Je racontais mes espoirs, mes rêves, et j'avais inventé un slogan qui connaissait un gros succès. Le député sortant du Parti libéral s'appelait Alfred Bossé. J'annonçais que j'étais dans Dorion pour «débosser le comté». Je parlais souvent aussi de ma Marie-Louise. Surtout parce que j'avais un profond besoin d'elle à mes côtés, pour veiller sur moi, et parce qu'elle pouvait toujours me servir de référence quand il s'agissait de parler du bon sens des gens ordinaires.

Le comté de Dorion comptait aussi une communauté italienne active. Mes relations avec cette communauté n'étaient pas mauvaises. J'eus la surprise de me retrouver sur scène, un soir, invitée par les Italiens, devant une salle comble mais exclusivement remplie d'hommes. Pas une femme à l'horizon. Je crois que les Italiens m'aimaient bien. Ils m'invitaient chez eux, me faisaient déguster le vin de leur fabrication et m'apprenaient quelques mots d'italien. De mon côté, j'avais fait traduire la chanson de Gilles Vigneault, *Gens du pays*, en italien. Ça donnait à peu près ceci : «Venez avec nous et vous verrez qu'on finira par se parler d'amour.» Je leur chantais ces paroles en italien et ça les faisait sourire.

Le local du comté était une véritable ruche. Je savais que, sur un simple coup de fil, je pouvais recevoir l'aide d'à peu près tous les artistes que je connaissais. C'était réconfortant.

Nous en étions à la troisième vérification des intentions de vote. En général, dans les autres comtés, on se contentait de deux. Mais Jean Fournier ne laissait rien au hasard. Nous finissions nos journées chez «Mama Leone», rue Saint-Hubert, pour faire le point sur ce qui avait été accompli. À la fin de la période des appels téléphoniques, alors que des milliers de personnes avaient été jointes, Jean Fournier m'annonça que, à moins d'une grave erreur ou d'un revirement imprévisible, je serais élue dans Dorion le 15 novembre 1976.

Nous étions à trois jours du scrutin. D'un commun accord, nous avons décidé alors d'offrir mes services à l'organisation au niveau national. La réponse ne se fit pas attendre. On me proposa une visite de quatorze comtés en trente-six heures, en commençant à Laval pour terminer à Sept-Îles, tard le soir, avec en prime l'avion du chef du parti pour le déplacement. À mon retour, le dimanche, je visiterais encore trois ou quatre comtés de Montréal. Tout un périple !

30

Attention, voici la vague!

Je ne connaissais pas tout le monde, au Parti québécois. Je connaissais les figures mythiques comme Camille Laurin, Robert Burns, Marcel Léger, Jacques-Yvan Morin, Claude Charron, Lucien Lessard et Marc-André Bédard. Je savais qui étaient Claude Morin, Jacques Parizeau, Denis Lazure et quelques autres, pour les avoir interviewés au cours de différentes émissions. Toutefois, plusieurs des candidats de 1976 n'étaient pour moi qu'une photographie dans le journal ou un simple nom entendu aux informations. Je ne savais pas du tout, par exemple, qui étaient Yves Bérubé, Alain Marcoux, Yves Duhaime, Jean Garon, Clément Richard ou Jocelyne Ouellette.

Le premier jour de ma grande tournée précédant l'élection, je fis la connaissance de Bernard Landry, dans Laval. Sur la feuille de route que l'organisation du niveau national m'avait remise, on avait noté le nom de chaque comté que je devais visiter, le nom du candidat qui s'y présentait et la durée approximative de la visite. Dans un post-scriptum, on avait noté aussi qu'à telle heure, en fin de journée, je devais passer au coin de telle ou telle rue, et m'arrêter sans descendre de la voiture, afin que quelqu'un que je ne connaissais pas puisse me remettre un lunch qui me tiendrait lieu de souper. Le seul repas prévu de ces vingt-quatre heures de tournée était celui de midi, avec Bernard Landry, dans Laval. Bernard me tendit la main dès que je descendis de la voiture, à la porte d'un centre commercial que nous devions visiter ensemble. Laurent m'accompagnait car il ne voulait absolument pas que je fasse tout ce voyage seule. Les foules étaient devenues le cauchemar des membres de mon organisation, et celui de Laurent en particulier. On devait parfois former un véritable bouclier humain autour de moi pour m'aider à sortir de ces salles surchauffées. Laurent, je le savais, était inquiet.

Bernard Landry proposa de faire le tour du centre commercial tout de suite. Je lui fis remarquer qu'il fallait que je mange à ce moment-là, parce que ensuite je n'aurais plus le temps. Il eut l'air de penser que c'était un caprice de quelqu'un qui, de toute façon, devait trop manger. J'insistai. Cela faillit être notre premier accrochage. Je m'en tins exactement à mon horaire, comme un véritable soldat.

Après avoir visité plusieurs comtés de Montréal pendant tout l'après-midi, nous avons ramassé le sac de sandwiche »tel que prévu, au coin d'une rue, avant de nous rendre dans le comté de Chambly, sur la rive sud. Sur ma feuille, je n'avais que le nom de la circonscription. On avait oublié de me donner le nom du candidat du Parti québécois. J'eus beau fouiller dans ma mémoire, je ne trouvai rien. Laurent non plus. Quand j'arrivai dans la salle de l'assemblée, je cherchai du regard la photographie du candidat. Il n'y en avait pas. Lyne Bourgeois, que je connaissais comme animatrice à la radio, haranguait la foule en attendant mon arrivée. Elle était candidate dans un comté imprenable du centre-ville de Montréal. C'était notre première rencontre depuis le mont Royal, où nous nous étions croisées à quelques reprises. Je pris place sur scène, mais sans pouvoir parler à qui que ce soit, l'assemblée étant déjà en cours. J'avais des sueurs froides tant le fait de ne pas me souvenir du nom du candidat m'embarrassait. J'eus beau regarder qui était sur scène, le candidat, visiblement, n'était pas arrivé. Lyne terminait son discours. J'espérais toujours qu'elle mentionne le nom de celui pour qui nous nous trouvions dans Chambly, mais elle ne le fit pas. Elle me présenta et, en me levant, je sentis mes jambes se dérober.

Une seule chose me revenait à l'esprit : Chambly était le comté du ministre Guy St-Pierre, celui-là même contre qui je m'étais battue avec les gens de Tricofil. Je fis donc tout mon discours contre Guy St-Pierre et pour Tricofil, demandant aux gens de Chambly d'envoyer ce ministre sans cœur au chômage le 15 novembre suivant. Je n'avais pu mentionner le nom du candidat que j'étais venue soutenir dans Chambly. Mais l'assistance était quand même debout. Lyne reprit le micro et je quittai la salle sous les applaudissements. Le candidat n'était pas encore arrivé et l'assemblée allait se poursuivre jusqu'à ce qu'il arrive. Il était probablement pris ailleurs, lui-même en train de chauffer une salle pour un autre candidat des environs.

L'avion de René Lévesque m'attendait, déjà en piste. Je ne trouvai pas le nom du candidat dont je venais de souhaiter l'élection devant une foule compacte. Je devais l'apprendre à la télévision, le 15 novembre, de la bouche de Bernard Derome. Denis Lazure était élu dans Chambly. Qu'il me pardonne !

Plus tard dans la soirée, nous nous sommes arrêtés à Rimouski, où je devais faire la connaissance d'un jeune enseignant, Alain Marcoux, qui me parut plein de fougue et bien décidé à remporter son comté. La salle était si remplie, quelques heures plus tard, à Sept-Îles, que j'eus du mal à me rendre jusqu'à la scène où m'attendait le candidat Denis Perron, qui allait devenir mon ami jusqu'à sa mort récente.

Dans cette foule, à Sept-Îles, je vis tout à coup deux bras s'ouvrir pour me serrer très fort. C'étaient ceux de Robert F. Lemieux, l'avocat de plusieurs membres du FLQ, exilé depuis peu à Sept-Îles, mais surtout, pour moi, le fils d'un chef de service de Radio-Canada, un homme charmant, qui m'avait si souvent parlé de son fils, dont il était si fier.

Dès que l'assemblée fut terminée, nous reprîmes l'avion. Jean Fournier et Nicole Beauchemin, son adjointe, s'étaient joints à nous pour ce baroud d'honneur. Laurent et moi n'avions jamais trouvé le temps, pendant cette tournée, d'échanger nos impressions. Pendant le vol de retour, un vent contraire se leva et le pauvre petit avion n'avançait pas. Nous avons pu nous raconter tout ce qui nous avait frappés pendant cette tournée : l'enthousiasme, l'espoir, le désir profond de changement. Après quatre heures de vol, nous n'étions encore qu'au-dessus de Québec. Notre pilote, Aurèle Dionne, après avoir identifié ses passagers auprès de la tour de contrôle et après avoir rappelé mon engagement en faveur des gens de l'air, me demanda de parler aux responsables. L'accueil fut chaleureux. J'expliquai que nous trouvions le voyage bien long. On donna l'ordre à notre pilote de s'installer dans le couloir d'Air France, à une altitude bien plus élevée et complètement libre à cette heure-là de la nuit. Le vent y soufflait nettement moins fort. Le jour se levait quand nous sommes arrivés à Dorval.

Le dernier dimanche avant l'élection, il me restait à visiter quelques comtés, parmi lesquels ceux de Jacques-Yvan Morin, de Claude Charron, de Guy Joron, et, enfin, en soirée, celui de Jacques Parizeau.

Je commençai à parler d'une vague que j'avais sentie au cours du voyage de la veille. Je demandai à mes interlocuteurs : «Connaissez-vous Alain Marcoux ? — Non», répondait-on. «Ne soyez pas surpris, il va être élu lundi soir.» Puis je demandais : «Connaissez-vous Denis Perron ?»

Et là encore, quand on me répondait qu'on ne savait pas qui il était, j'annonçais qu'il serait élu le 15 novembre.

Dans le comté de Taillon, où je participai à une assemblée monstre en faveur de René Lévesque, j'expliquai aux militants qu'il fallait absolument que Lévesque soit élu, parce qu'il y aurait une très forte opposition à Québec et que cette opposition aurait besoin d'un leader sur place pour préparer l'avenir du Québec. J'avais visité tellement de circonscriptions en deux jours que j'avais le sentiment profond qu'une vague se préparait.

Ma dernière visite fut pour Jacques Parizeau dans L'Assomption. Je ne connaissais pas Jacques Parizeau et je m'étais demandé ce que je pourrais bien raconter devant cet intimidant personnage, professeur d'université, bardé de diplômes et qui avait toujours l'air d'un chat qui venait d'attraper une souris. J'avais décidé de ne rien changer du tout à mon discours.

Je racontais depuis plusieurs semaines une histoire qui avait beaucoup de succès. C'était celle où Trudeau, Bourassa et Lévesque se trouvaient ensemble dans un avion qui piquait du nez. L'avion allait s'écraser. Trudeau et Bourassa se disputaient pour savoir qui des deux allait sauter le premier. Le pilote avait informé ses passagers que l'avion ne disposait que de trois parachutes. Trudeau affirma que lui, le chef d'un grand pays comme le Canada, allait sauter le premier. Et il le fit. Bourassa affirma que sans lui le Québec serait perdu, qu'il était le seul à pouvoir sauver la nation canadienne-française, qu'il était irremplaçable, et il sauta à son tour. Lévesque regarda le pilote et lui dit : «On a l'air fins, tous les deux, avec un seul parachute…» Le pilote lui répondit : «Je ne suis quand même pas fou. Bourassa vient de sauter avec mon sac de couchage.» Chaque fois, c'était le délire dans la salle.

Ce soir-là, après avoir mis la salle de mon côté, j'entrepris d'expliquer à Jacques Parizeau comment faire un budget. À la façon de ma Marie-Louise.

Ma Marie-Louise n'était pas riche, loin de là. Elle faisait son budget avec de petites enveloppes blanches sur lesquelles elle écrivait la destination de chaque somme. La première enveloppe allait à l'électricité, la deuxième était prévue pour la nourriture, la troisième pour le loyer, et la quatrième pour les vêtements des enfants et les livres d'école, et ainsi de suite. L'avant-dernière était toujours réservée à la charité, parce que ma Marie-Louise était convaincue qu'il y avait plus pauvre qu'elle. Enfin, en silence, dans l'ultime enveloppe, celle qu'elle garderait longtemps si c'était possible, elle mettait ce qui restait d'argent, parfois quelques pièces seulement, pour les imprévus. Je proposai à Jacques Parizeau de faire un budget aussi simple, aussi clair et aussi facile à comprendre. Aussi généreux également que celui de ma grand-mère. Il rit. Mais il ne m'a sans doute pas bien écoutée, car il n'a jamais réussi à le faire. Pourtant, il m'est arrivé si souvent de penser que le Québec ne s'en serait porté que mieux.

C'est ma Marie-Louise qui avait fait ma campagne électorale. J'avais repris dans mes discours des choses qu'elle m'avait dites quand j'étais enfant, comme, par exemple, qu'il n'est pas plus difficile de vivre debout que de vivre à genoux. Elle en savait quelque chose, elle qui s'était tenue debout toute sa vie devant des curés hostiles, des employeurs méprisants, devant la vie elle-même, qui ne lui avait jamais fait de cadeaux. J'avais parlé d'elle parce qu'elle était mon meilleur exemple de quelqu'un qui avait su s'assumer et qui n'avait eu peur de rien. C'est elle qui m'avait dit qu'on avait les politiciens qu'on méritait et ce n'était pas tombé dans l'oreille d'une sourde. J'allais lui faire honneur. J'étais la première dans cette famille à s'approcher de la politique. J'étais porteuse des espoirs de tous. Pendant toute la campagne, j'avais attendu une invitation de Jacques Couture qui m'aurait permis de prendre la parole dans Saint-Henri. On n'avait pas eu besoin de mes services. Cela me crevait le cœur. J'aurais tant aimé aller parler aux miens de la force que j'avais apprise d'eux, de leur culture qui était la mienne et de leurs rêves que je portais en moi.

Je commençais seulement à apprendre qu'en politique les goûts personnels ne sont pas toujours les bienvenus. Nous n'allons pas où nous avons envie d'aller. Nous allons où on nous dit d'aller. Leçon numéro un. Pas plus que nous ne disons ce que nous avons envie de dire. Nous disons plutôt ce qu'on nous dit de dire, ou ce qu'on a envie de nous entendre dire.

Autrement, le prix à payer est très élevé.

31

Le 15 novembre 1976, une date mémorable

Tous les Québécois qui ont un certain âge et qui vivaient au pays se rappellent où ils étaient le 15 novembre 1976. La date est mémorable et a laissé en chacun de nous des souvenirs impérissables.

Le jour de l'élection, j'ai visité les différents bureaux de scrutin de mon comté afin d'encourager nos représentants et même ceux des autres partis. La journée serait longue. Nous avions une solide organisation dans Dorion et nous étions en mesure de surveiller les voitures louches qui se trouvaient sur notre territoire. Cela devait s'avérer très utile car nous en avons poursuivi quelques-unes jusque sur la route de Dorval à un moment de la journée. La police, à notre demande, accompagnerait les boîtes de scrutin, à la fermeture des bureaux, jusque chez le président local des élections, un certain M. Dandavino. Celui-ci n'avait jamais cru nécessaire de prendre ses distances face au Parti libéral, et sa neutralité n'était pas évidente. Nous étions prêts à perdre l'élection si c'était la volonté des électeurs de Dorion, mais nous n'allions pas nous la faire voler par qui que ce soit. Tout avait été prévu.

Dans Dorion, il y avait six candidats. Nous savions que les libéraux avaient eu la tentation de présenter une autre Lise Payette et y avaient renoncé à la dernière minute. Par contre, j'avais eu maille à partir avec le président des élections au sujet de l'inscription de mon nom durant la campagne. On voulait m'obliger à utiliser, sur le bulletin, uniquement mon nom de fille, Lise Ouimet, alors qu'il était évident que j'étais connue sous le nom de Lise Payette. Le seul compromis accepté avait été d'utiliser les deux patronymes, avec celui de Ouimet en plus petit, sur les affiches.

Alfred Bossé, le député sortant, représentait le Parti libéral; Guy Lévesque, le Ralliement créditiste; Luigi Grasso, l'Union nationale; Raymond Beaudoin, le Parti national populaire, un parti récemment fondé par Jérôme Choquette; Lorraine Vaillancourt, de Repentigny, la coalition NPD.

Le soir du 15 novembre, nous nous retrouvâmes nombreux devant les écrans de télévision au local du comté. Nous étions surtout nerveux. J'avais déjà embrassé tout le monde en arrivant, car je savais que nous avions tous fait de notre mieux. Le reste serait une surprise. Nos espoirs étaient tellement grands et nous essayions de rester calmes tout en nous répétant qu'il fallait probablement diminuer de moitié les chiffres fous que nous attendions.

La surprise fut grande dès que Bernard Derome commença à donner des résultats après la fermeture des bureaux de scrutin. Nous étions tous assis sur le bord de nos chaises. Ma gorge se serra dès que j'entendis les chiffres qui plaçaient Jean-Paul L'Allier en difficulté dans Deux-Montagnes contre Pierre de Bellefeuille. L'Allier était encore identifié à l'aile progressiste du Parti libéral, l'un des derniers ministres à susciter encore un peu d'espoir et de confiance auprès des Québécois. S'il se trouvait défait dans son comté, la vague que j'avais annoncée risquait d'être plus grosse que prévu. Quelques minutes plus tard, c'était fait. L'Allier était battu et de Bellefeuille, déclaré élu. Il ne s'écoula pas beaucoup de temps avant que Derome n'annonce, de sa voix qui me paraissait un peu triste ce soir-là : «Le prochain gouvernement sera formé par le Parti québécois et il sera majoritaire.»

Tout allait trop vite. J'aurais voulu pouvoir arrêter le temps. Certains pleuraient déjà de joie devant moi. On n'avait encore annoncé aucun résultat du comté de Dorion à la télévision. Nos rapporteurs nous permettaient quand même d'avoir une bonne idée de ce qui s'y passait. Le grand tableau noir que Fournier avait fait installer se couvrait de chiffres encourageants. De son côté, le président des élections, M. Dandavino, refusait d'ouvrir les boîtes de scrutin. Il avait décidé de nous faire attendre.

J'avais reçu comme instructions de me rendre au Centre Paul-Sauvé dès que nous aurions des résultats sûrs dans le comté. Si j'avais attendu que Dandavino me déclare élue, je ne serais arrivée au Centre Paul-Sauvé que le lendemain midi, le 16 novembre. Ce n'est qu'à ce moment-là qu'il accepta enfin de me communiquer, dans son bureau, les résultats de l'élection dans Dorion. Pas moyen de le faire bouger dans la soirée. C'est donc à partir des chiffres compilés par Jean Fournier et son équipe que je me suis rendue sur la scène retrouver ceux qui y étaient déjà. Jamais Bernard Derome n'a annoncé mon élection car la télévision non plus n'a pas obtenu de résultats de la part de Dandavino.

Sur la scène du Centre Paul-Sauvé, Denise Filiatrault et Doris Lussier présentaient les vainqueurs. Dès mon arrivée, on me demanda de parler au téléphone à Gilles Vigneault, qui était en tournée en France. J'eus le bonheur de lui apprendre la bonne nouvelle et de lui résumer ce que nous vivions au Centre Paul-Sauvé. La scène se remplissait doucement de gens que je ne connaissais pas, des candidats venus de partout et dont seul le visage, parfois, m'était un peu familier.

L'arrivée de René Lévesque sur cette scène déchaîna un tonnerre d'applaudissements. Je n'avais jamais rien entendu de pareil. J'étais fascinée par le véritable mur que formaient devant nous les cameramen et les photographes du monde entier. Nous ne voyions pratiquement plus la salle tellement les lumières nous éblouissaient. Je vis Claude Charron à mes côtés. Il se jeta dans mes bras. Je réalisais à quel point cette victoire signifiait autre chose pour ceux-là qui avaient tenu le fort pendant des années à Québec. René Lévesque se tourna vers moi. Je pris son visage dans mes mains et je lui fis la bise. On aurait dit qu'il allait pleurer. Je me demandais s'il se rendait compte de l'immensité de ce qu'il aurait à faire.

C'est là, sur cette scène du Centre Paul-Sauvé, que j'ai eu peur pour de bon. Parce que c'est là que j'ai compris le formidable espoir que nous avions fait naître chez les Québécois et les attentes que nous avions créées. J'estimais que je recevais encore beaucoup plus que ce que j'avais souhaité. J'avais voulu devenir membre de l'opposition, faire mon travail avec bonne volonté et acharnement, mais jamais je n'avais vraiment cru que j'accéderais au pouvoir. Pas aussi rapidement.

Les haut-parleurs diffusaient à tue-tête la chanson thème de la campagne électorale : *À partir d'aujourd'hui, demain nous appartient.* Je regardai autour de moi, encore surprise du nombre de personnes qui se trouvaient sur scène. J'essayais de deviner s'ils avaient peur comme moi.

«Nous sommes peut-être quelque chose comme un grand peuple», déclara René Lévesque. Qui aurait pu en douter à ce moment-là? Il nous restait à prouver que nous avions la maturité nécessaire pour prendre notre avenir en mains. Plus rien ne pourrait nous arrêter désormais. Notre force était là, devant nous.

J'aperçus Jean Duceppe au pied de la scène. Sur ses joues coulaient de grosses larmes qu'il ne cherchait même pas à dissimuler. Je savais que c'était un jour qu'il attendait depuis longtemps et je devinais qu'il aurait voulu être sur scène avec nous. «Je suis là, Jean. Regarde-moi. J'ai peur mais je ne le montre pas. Mais suis-je la seule à avoir peur en ce moment?»

J'aurais voulu que le bruit s'arrête. Qu'on ait le temps de réfléchir. Qu'est-ce qu'il restait à faire maintenant? Tout allait beaucoup trop vite. Je cherchai Laurent des yeux. Je savais qu'il était là, sur scène, quelque part, qu'il veillait sur moi comme toujours. Nous avions vécu cette incroyable aventure ensemble, et jamais il n'avait abandonné ma main un instant. La foule chantait, criait. C'était le délire.

Il fallait quitter la scène. Déjà des gardes du corps entouraient Lévesque. Il était le nouveau Premier ministre du Québec. Le reste ne fut que formalités. On forma une haie humaine pour nous permettre de quitter la salle. La foule se pressa vers nous. On voulait nous toucher. On nous bousculait en criant nos noms. Je vis mon ami Royal Marcoux, de l'équipe d'*Appelez-moi Lise*, à quelques pas seulement du cordon qui nous entourait. Je fendis la ligne pour l'embrasser et le remercier d'être là. Je fus immédiatement happée par la foule et on eut du mal à me ramener à l'intérieur du cordon. Quelqu'un me cria à pleine voix : «Ne sortez plus jamais du rang, pour aucune raison!» Je ne savais pas qui avait parlé. Je cherchai l'inconnu qui venait de me donner cet ordre.

Je souris. J'avais l'impression que je venais d'apprendre ma leçon primordiale de vraie politique : ne plus jamais sortir du rang, pour aucune raison.

C'était comme si je venais de recevoir mes premières instructions. Pour moi qui avais toujours fait bande à part, ce serait sans doute très difficile. Mais j'avais confiance.

Je venais d'être élue avec plus de cinq mille voix de majorité. J'avais récolté quinze mille voix et Bossé, dix mille. Je connaîtrais les résultats seulement le 16 novembre, M. Dandavino ne pouvant étirer le suspense plus longtemps.

Il n'était pas question d'aller dormir. Nous fêtâmes d'abord avec tous ceux qui avaient travaillé dans Dorion, puis, aux petites heures, je me retrouvai seule avec Laurent. Je voulais qu'il me dise que j'avais bien fait d'entrer en politique, qu'il me rassure encore et encore. Je désirais aussi qu'il me confirme qu'il valait mieux être au pouvoir que dans l'opposition quand on avait un projet comme le nôtre et que le temps pressait de le réaliser. Ce parti-là avait bien mérité ce qui lui arrivait et j'espérais que nous pourrions faire plus de choses au pouvoir, tout au moins réaliser les promesses que nous avions faites, et que ce serait du temps de gagné.

Au lieu de me répondre, Laurent me regarda tranquillement et me demanda : «As-tu pensé que tu seras probablement ministre?»

Je restai muette. Seigneur! Ma Marie-Louise!

Une chose était sûre : je ne serais pas au chômage. Ce qui était une bonne chose. Je ne croyais pas un instant que je serais ministre. Qu'est-ce que René Lévesque pourrait bien faire de quelqu'un comme moi, qui n'avais aucune autre expérience que celle de poser des questions? Et puis il y avait tellement de gens qualifiés dans ce parti-là. Et, cette fois, il y avait tellement d'élus que Lévesque aurait l'embarras du choix.

Et puis j'espérais que je pourrais quand même aller en Chine... J'y tenais.

CRÉDITS

24 juin 1975, «15 comédiennes font le tour de la "question des femmes"» par Diane Massicotte.
24 juin 1975, «Titre inconnu» par Michèle Tremblay.
25 juin 1975, «Une Saint-Jean extraordinaire!» par Diane Massicotte.
© *Le Journal de Montréal*, reproduit avec son aimable autorisation.

Le Maclean
Mai 1973, «Appelez-moi monstre sacré» par Pierre de Bellefeuille.
© Maclean Hunter, reproduit avec son aimable autorisation.

Montréal-Matin
21 juin 1975, «Une foule entassée comme brins de foin».
23 juin 1975, «Faut balayer ça tout le long du temps que dure le tam-tam» par Raymond Bernatchez.
25 juin 1975, «Le n° 1 de la police laisse parler son cœur».
10 octobre 1975, «Enfin Lise» par François Piazza.
© *La Presse*, reproduit avec son aimable autorisation.

Photo-Journal
19-26 février 1969, «Une réplique aux Miss N'importe-quoi» par Pierre Julien.
10-16 septembre 1973, «Le grand secret de Lise et Jacques» par Daniel Grégoire.
© Gilles Brown, reproduit avec son aimable autorisation.

The Gazette
23 juin 1975, «St. Jean festival hailed as a "miracle", draws people of all language groups» par Don MacPherson.
© *The Gazette* (Montréal), reproduit avec son aimable autorisation.

POÈME

12 février 1973, «Hommage sur deux rimes à Lise Payette» par Robert Choquette.
© Succession Robert Choquette, reproduit avec son aimable autorisation.

CORRESPONDANCE

21 septembre 1973, lettre de Claude-Armand Sheppard adressée à Lise Payette.
© Claude-Armand Sheppard, reproduit avec son aimable autorisation.

14 février 1974, lettre d'André Lavoie adressée à Lise Payette.
© André Lavoie, reproduit avec son aimable autorisation.

1975, note de Jean Rafa adressée à Lise Payette.
© Jean Rafa, reproduit avec son aimable autorisation.

25 juin 1975, lettre de Claude Charron adressée à Lise Payette.
© Claude Charron, reproduit avec son aimable autorisation.

3 juillet 1975, lettre de Monique Bégin adressée à Lise Payette.
© Monique Bégin, reproduit avec son aimable autorisation.

CRÉDITS PHOTOGRAPHIQUES

Toutes les photographies publiées dans cet ouvrage ont des droits de reproduction réservés et sont utilisées avec l'aimable autorisation de leur auteur ou des titulaires des droits d'auteur.

Les crédits de création ont été accordés sur la base des recherches effectuées auprès des titulaires de droits apparents. Toute erreur serait bien involontaire.

Photographies de la couverture, hg : © *Point de mire* (Jean Bernier) ; *d :* © Société Radio-Canada (Jean-Pierre Karsenty).

Photographies de la quatrième de couverture, h : © Société Radio-Canada (Jean-Pierre Karsenty) ; *m :* © Robert Bertrand ; *b :* © Parti québécois (photographe anonyme).

Cahier 1, page 1 : © Société Radio-Canada (Jean-Pierre Karsenty) ; *page 2 :* © Société Radio-Canada (Jacques Durguerian) ; *page 3, hb :* © Société Radio-Canada (Jean-Pierre Karsenty) ; *page 4 hb :* © Société Radio-Canada (Jean-Pierre Karsenty) ; *page 5, h :* © Société Radio-Canada (Laurent Bourguignon) ; *b :* © Keystone Canada (James Gauthier) ; *page 6 :* © Société Radio-Canada (Laurent Bourguignon) ; *page 7 :* © Société Radio-Canada (Laurent Bourguignon) ; *page 8 :* © *La Presse* (Pierre Mc Cann).

Cahier 2, page 1 : © *La Presse* (Antoine Desilets) ; *page 2, h :* © *La Presse* (Jean Goupil) ; *b :* © Société Radio-Canada (Jean-Pierre Karsenty) ; *page 3 :* © *La Presse* (René Picard) ; *page 4, h :* © *La Presse* (Robert Nadon) ; *b :* © Société Radio-Canada (Jean-Pierre Karsenty) ; *page 5, hb :* © Société Radio-Canada (Jean-Pierre Karsenty) ; *pages 6, 7 et 8 :* © *Le Journal de Montréal* (Toto Gingras).

Cahier 3, pages 1 et 2 : © Robert Bertrand ; *page 3, hb :* © SPCUM (photographe anonyme) ; *page 4, h :* © SPCUM (photographe anonyme) ; *mb :* © Robert Bertrand ; *pages 5, 6, 7 et 8 :* © Robert Bertrand.

Cahier 4, pages 1 et 2 : © *T.V. Hebdo* (M. Sauvageau inc.) ; *page 3, hb :* © Société Radio-Canada (Jean-Pierre Karsenty) ; *pages 4, 5, 6, 7 et 8 :* © Parti québécois (photographe anonyme).

TABLE

LISE PAYETTE tourne le regard du côté de Lise Ouimet. Pour mesurer le chemin parcouru par la fillette née dans le quartier Saint-Henri en 1931, elle ressuscite une enfance éclairée par la sagesse des «femmes d'honneur» qui l'ont guidée toute sa vie : sa mère, la courageuse et volontaire Cécile, et la mère de celle-ci, sa «chère Marie-Louise», dont les enseignements et l'humour ne cesseront jamais de l'habiter.

Sur le chemin du souvenir s'anime bientôt une adolescente pleine d'appétit pour la vie, une jeune femme que l'amour transforme en une nouvelle mariée passionnée puis en une mère que trois enfants finissent par occuper à plein temps. La Montréalaise cède aussi sa place à la Parisienne. C'est outre-Atlantique que se précise le projet de Lise : conquérir son indépendance.

La réalisation de ce rêve, l'histoire de son accomplissement avec son lot d'épreuves, de défis et de victoires, constitue la quintessence de cette autobiographie sobre et sincère qui va droit au but quand il s'agit de retracer la vérité des gestes et leurs conséquences.

DES FEMMES D'HONNEUR : une invitation à partager l'expérience.

DES FEMMES D'HONNEUR. UNE VIE PRIVÉE, 1931-1968,
de Lise Payette, Libre Expression, 1997.